W9-BNB-066

BOOK SOLD
NO LONGER R.H.P.L.
PROPERTY

ЛомоносовЪ
издательство

ЕКАТЕРИНА ОБРАЗЦОВА
ПЕТР ОБРАЗЦОВ

НЕОБЫКНОВЕННЫЙ ОБРАЗЦОВ

О ХОЗЯИНЕ КУКОЛЬНОГО ДОМА И ЕГО СЕМЬЕ

МОСКВА «ЛОМОНОСОВЪ» 2014

УДК 929(092)
ББК 85.337
О-23

Издано при финансовой поддержке
Федерального агентства по печати и массовым коммуникациям
в рамках Федеральной целевой программы
«Культура России»

Подбор и предоставление фотографий
Вадим Шульц

ISBN 978-5-91678-209-7

ПРЕДИСЛОВИЕ

СЕМЬЯ ОБРАЗЦОВЫХ

Есть имена — они солидны,
И представительны, и видны,
Внушительны, в конце концов.
Но с Вашим вряд ли что сравнится, —
Оно само в стихи ложится —
Сергей Владимыч Образцов.

З. Паперный

Семья Образцовых — такой же феномен русской культуры, как и сам Сергей Владимирович Образцов. Эта удивительная питательная среда, сотканная, на первый взгляд, из парадоксальных, а на самом деле цельных человеческих характеров и отношений, дала миру замечательных людей.

Книга открывает читателям не только «необыкновенного Образцова», но и жизнь его необыкновенной семьи. И не так важно, что кто-то в этой семье прославился как выдающийся инженер, деятель науки, а кто-то как гениальный деятель искусства и культуры, кто-то стал талантливым архитектором, учителем, журналистом, актрисой, режиссером...

Все они очень разные, но составляют одну большую московскую семью, достойно прожившую в девятнадцатом, двадцатом веках, а теперь живущую в двадцать первом столетии. Эта семья в новом уже составе, но все та же — семья Образцовых, собирается то на даче во Внуково, то в московской мемориальной квартире С. Образцова — на Рождество, Масленицу, во время семейных праздников. Собираются, встречаются и вспоминают. В прежние годы, наверное, чаще вспоминали академика Владимира Николаевича Образцова, одного из создателей российской железной дороги. Сейчас — Сергея Владимировича Образцова.

Удивительно, но никто из них не знал одного и того же Образцова. Каждый вспоминает о своем, будто это был не один человек, а множество разных. И это касается не только близких, но и его друзей, коллег, знакомых. Для кого-то Образцов строгий, иногда беспощадный Хозяин театра, для кого-то — Главный московский голубятник или выдающийся режиссер, а для кого-то — страстный Коллекционер и жизнелюб.

У меня тоже есть свой Образцов — уже очень пожилой, даже уставший. Стучась, захожу к нему в кабинет. На дворе зима 1991 года. На письменном столе Сергея Владимировича бронзовый бюстик Ленина повернут лицом в угол кабинета.

— Сергей Владимирович, за что вы Ленина в угол поставили?

— Большевики обманули. Обещали, что будет коммунизм, а посмотрите, что вокруг творится...

И без паузы:

— Нужно поставить спектакль о любви — «Ромео и Джульетта». Найдите хорошего художника.

— А что это будет за спектакль?

— Кукольный спектакль...

— И с какими куклами?

— Марионеток я не люблю, петрушками Шекспира не сыграешь, значит, с тростевыми.

— Сергей Владимирович, нужно открыть в театре курс актеров и режиссеров театра кукол. Нужен наследник традиций, школы...

— Не нужно нам никакого наследника и никакого курса!

— ?

— Я никогда не учился на режиссера, и Станиславский не учился, и Михоэлс тоже. И Качалов не учился на актера, а Шаляпин — на певца. А вот N — учился на режиссера, но режиссером не стал и никогда им не станет. Не нужно никакого курса. Талантливые люди всему научатся в театре...

Сергей Образцов всю жизнь собирал, будто коллекционировал талантливых людей. Он не обращал внимания на то, есть у нового сотрудника диплом или его нет, молод он или стар. Он собирал любые таланты — артистические, художественные, технические, музыкальные. Образование давал в своем театре. Высшее образцовское.

Театр он собрал, как опытный дирижер музыкантов. От каждого ждал особого «звучания», умения играть в ансамбле, знал, что каждый в свое время будет «солировать». Коллекция составилась знатная: С. Самодур, Е. Синельникова, Е. Сперанский, Б. Тузлуков, В. Андриевич, З. Гердт, В. Кусов, Н. Солнцев, А. Федотов, Л. Шпет — множество имен. Каждое имя — эпоха: в актерстве, режиссуре, сценографии, создании кукол, театроведении.

Коллекционировал и удивительные предметы: картины, куклы, маски, вышивки, игрушки. Как-то во время экскурсии по мемориальной квартире Образцова небольшой группы младших школьников, учащихся элитной частной школы, на кухне искренне переживала их учительница:

— Жалко мне его...

— Кого жалко?

— Сергея Владимировича...

— А почему?

— Как почему! Такой был человек... А как бедно жил!

Действительно, не было у Образцова ни ванны-джакузи, ни бильярдной. Зато среди удивительных предметов его ценнейшей художественной коллекции были механические соловьи в золоченых клетках — будто из сказки Андерсена о Соловье и Императоре. Клетки с соловьями и в его квартире, и в театре — в рабочем кабинете. Стоит завести их ключом, птицы оживают и поют. Вместе с ними начинали петь и живые канарейки (Это уже другая история: то ли о веселом Птицелове, то ли о механическом соловье и Хозяине «кукольной империи»).

Во время своих многочисленных путешествий по миру Образцов любил заходить в зоомагазины. Вспоминал, как однажды зашел в такой магазинчик в Манчестере и спросил у продавца: «“Эта канарейка обученная”? Улыбаясь уголком одного глаза, продавец ответил: “Нет, сэр. У нас свобода слова. Она поет, что хочет...” Мячик брошен. Долго думать нельзя, надо отражать. Я говорю, что очень рад за канарейку. “Жаль только, что она поет в клетке”».

Прожив почти весь двадцатый, один из самых беспощадных для России век, он каким-то чудом оставался внутренне свободным и даже посмеивался над предлагаемыми обстоятельствами. Павел Асс, руководивший литературной частью театра, вспоминал: «Однажды в его рабочем кабинете раздался телефонный звонок. Кто звонил Хозяину, я, понятно, не знал, только услышал: “Брать меня не надо, а мой адрес запишите: улица Немировича-Данченко, дом...” Положил трубку, обернулся ко мне и весело сказал: “Из клуба КГБ. У меня сегодня там концерт. Звонят, спрашивают: “Где вас брать? — И добавил: — Вот что значит привычка!”».

Эта внутренняя свобода в любых обстоятельствах — традиционно-семейная черта Образцовых. Сегодня уже не деды, не отцы — внуки сидят за домашним столом: ученый-химик, писатель Петр Образцов, режиссер и актриса Екатерина Образцова, архитектор и предприниматель Сергей Образцов. Они очень разные, у каждого — свой взгляд на мир, свой юмор, своя профессия. Но их объединяет Семья — сложная, эмоциональная, давно и гармонично сложившаяся среда, подарившая им жизнь, характер и, в конечном итоге, — судьбу.

Борис Голдовский,
кандидат искусствоведения,
руководитель Центра С. Образцова

Вот так выглядел театр Образцова в 30-е годы

Сергей Образцов молодой. Мы очень любим эту фотографию

С маленькой дочкой, племянником и режиссером Гордоном Грэгом

Образцов молодой, но уже известный эстрадник

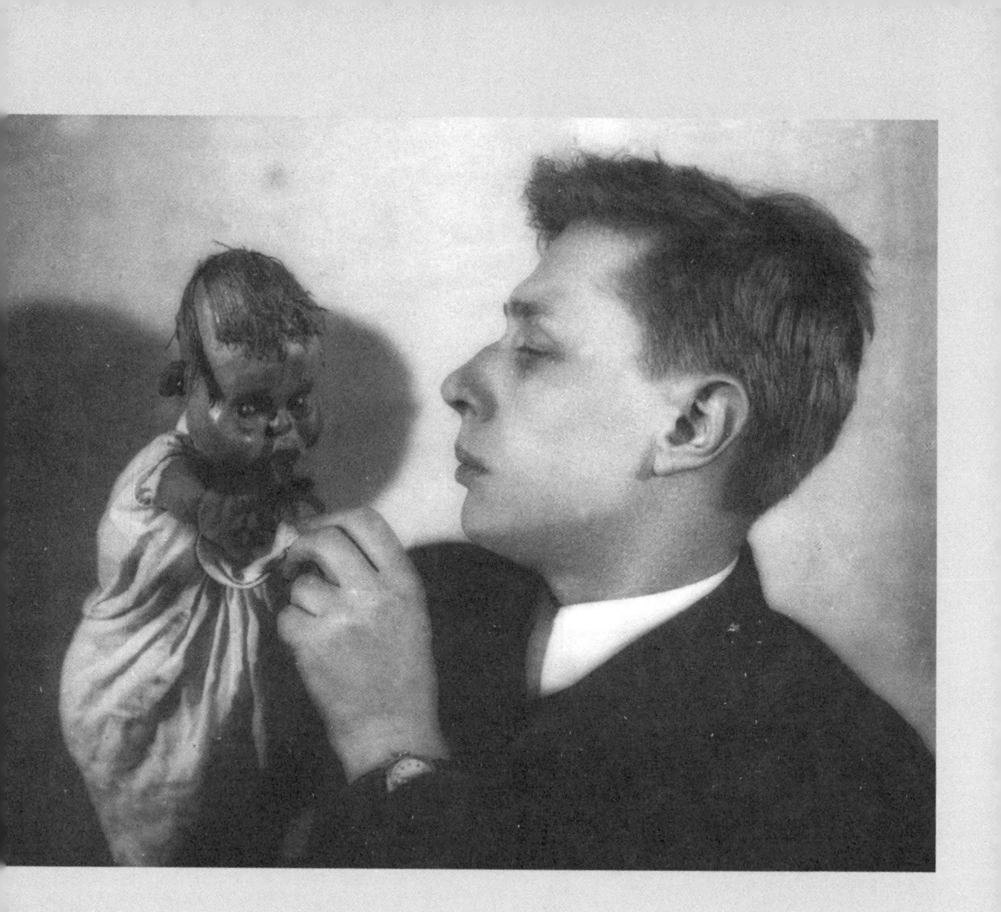

С любимой куклой Тяпой.
Сергей Образцов называл ее «самым старым ребенком в мире», ведь Тяпа выступал на сцене около шестидесяти лет

Обсуждение новой работы

Очень хорошая и редкая фотография молодого Сергея Образцова

Образцов с дочкой Наталкой

Сергей Образцов на гастролях в Америке в 1926 году

Из Америки со 2-й студией МХТ

На гастролях не только работают,
но и осматривают местные достопримечательности

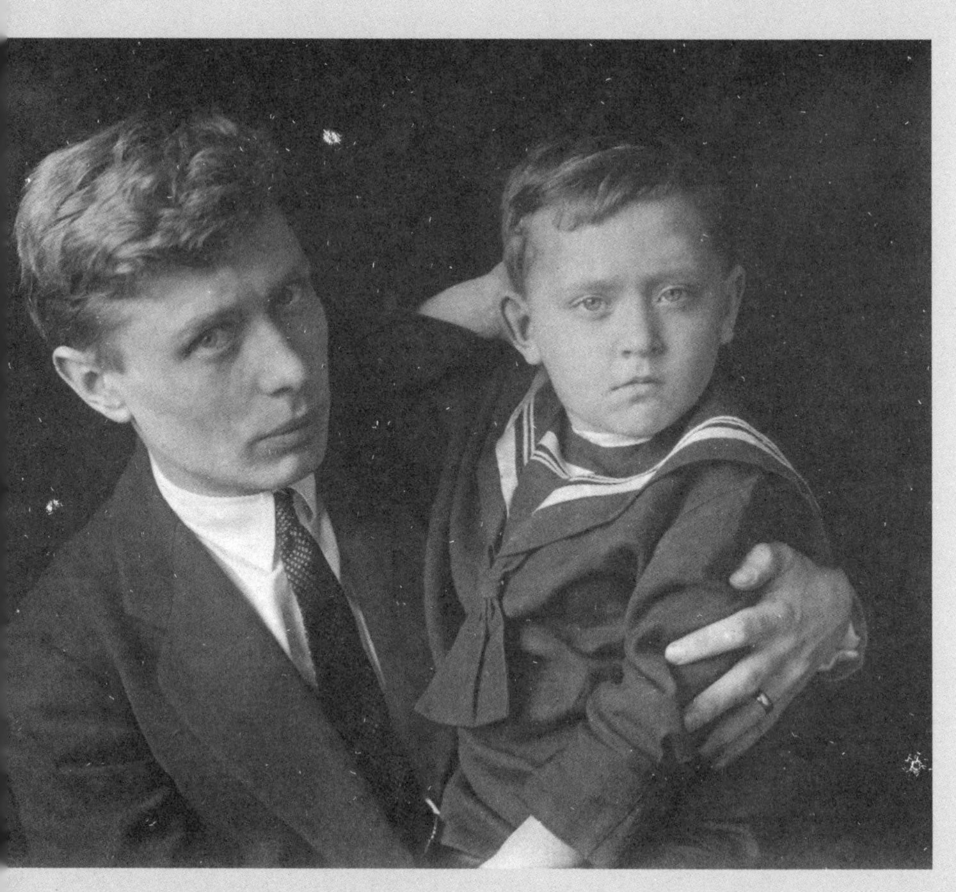

С сыном Алексеем

Дома за бюро

С куклой из эстрадного номера «Налей бокал»

Наталья Образцова — царевна Будур. Виктор Рябов — Аладдин

Кабинет В.Н. Образцова на Бахметьевской

Владимир Николаевич, Анна Ивановна,
Сергей Владимирович и Ольга Александровна Образцовы

Эстрадный номер «Хабанера»

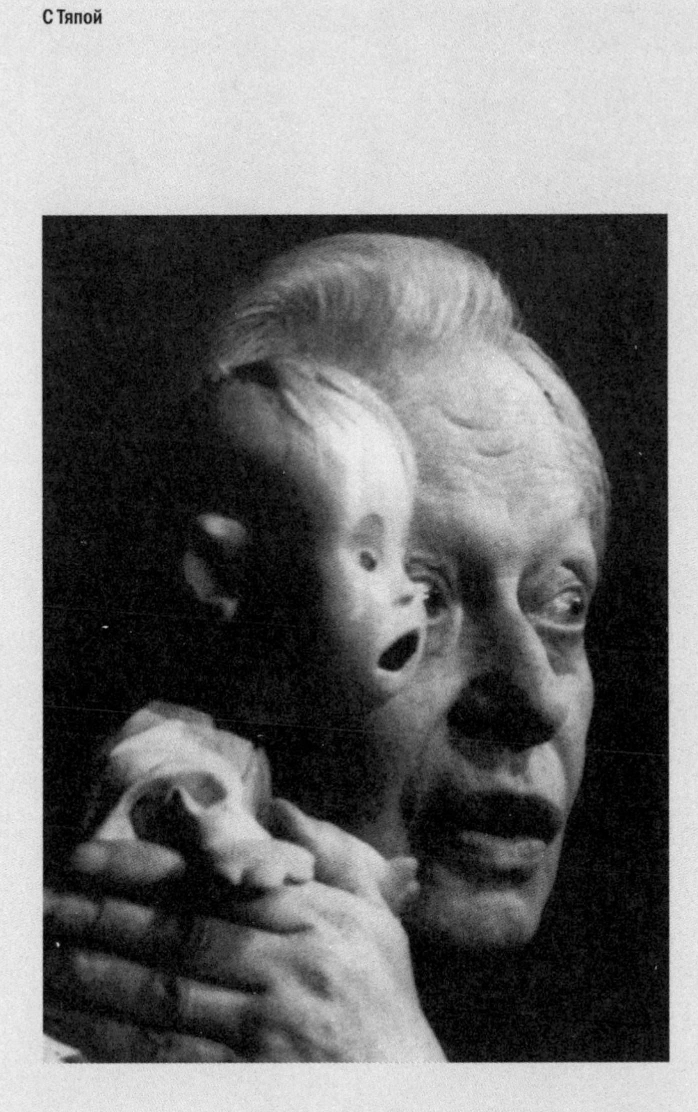

С Тяпой

Эта фотография Екатерины Образцовой очень нравилась ее деду. Даже стояла у него в кабинете

ЕКАТЕРИНА ОБРАЗЦОВА

МОЯ СЕМЬЯ

БАХМЕТЬЕВСКАЯ

Из роддома меня привезли на Бахметьевскую улицу, в квартиру прадеда Владимира Николаевича Образцова. Вся большая семья села за стол отмечать мое появление на свет. Про новорожденную временно забыли и опомнились только тогда, когда увидели, что мой кузен Петька держит над Катиным ротиком кусок колбасы (Катя — это я). Колбасу у Петьки отняли, и он обиженно сказал: «Сами едят, а ребенку не дают!»

Квартира находилась напротив МИИТа — Московского Института инженеров транспорта. Именно там преподавал мой прадед академик Образцов, знаменитый строитель железных дорог, автор научных трудов, генерал-полковник. Правда, генерал-полковником прадед был только по положенному ему званию, а так — он даже честь отдавать не умел, и вся семья дружно его этому обучала. Мама рассказывала, что однажды, когда перед ним, генералом, был выстроен полк, он стал подходить к каждому солдату, пожимать руку и представляться: «Образцов, Образцов, Образцов...»

Во время войны Владимир Николаевич получил Сталинскую премию и всю ее отдал на строительство боевого

Анна Ивановна и Владимир Николаевич Образцовы.
Мои прабабушка и прадедушка

самолета. Дома у нас долго стояла фотография летчика рядом с этим самым самолетом. Летчик геройски погиб при исполнении боевого задания. Говорят, прадед очень долго переживал случившееся. После открытия второго фронта американцы стали присылать семьям академиков специальные пайки с одеждой и продовольствием. Когда такая посылка была доставлена в дом Образцовых, прадеда дома не было, посылку вскрыли, стали рассматривать красивые заграничные вещицы. Но пришел прадед и сказал все назад упаковать: «Мы подачек не берем». Маленькая мама очень горевала по каким-то туфлям. Единственное, что ее утешало, — они были размера на три больше.

Если прадед совсем не был похож на генерала, то на академика он был похож очень. Помните фильмы сороковых годов? Там обязательно были такие академики. Очень рассеянные. Они могли надеть на ноги два разных ботинка. Таким был и прадедушка. Однажды он не узнал собственной жены в трамвае. А просто, увидев женщину, встал и сказал: «Садитесь, пожалуйста». Хотя свою супругу, Анну Ивановну, он любил всю жизнь и ни о ком другом не помышлял, был однолюбом. А еще он обожал внуков. Им всегда позволялось играть в его кабинете. Росли они без матери (Софья Семеновна Образцова, моя бабушка, умерла вскоре после родов моей мамы) и жили в основном у бабушки с дедушкой. Все, кто знал моего прадеда, говорили, что лучше и добрее человека они не встречали. Не счесть, скольким людям он помог деньгами, жильем, работой, вниманием.

А улица Бахметьевская, куда меня привезли из роддома, — уже бывшая, потому что сейчас она называется улицей Образцова. К сожалению, когда я поселилась здесь, прадеда уже не стало. Мне остались от него генеральская фуражка с мо-

Я в прадедушкиной фуражке

Петр, Сергей
и я в костюме Снежинки

лоточками на кокарде и толстые фолианты трудов по строительству железных дорог. Я надевала мальчишеский костюм защитного цвета, генеральскую фуражку и ставила рядом двух плюшевых собак — Бобку и Жулю. Из меня получался пограничник на посту. В домашнем альбоме есть даже такая фотография. Правда, рядом с ней соседствует и другая — я в костюме Снежинки для новогодней елки в детском саду (вся эта фотосъемка и затевалась родителями из-за Снежинки, но моим непременным условием был пограничник — в детстве я была воинственна, дралась, обожала революционные песни и хотела, чтобы меня звали Мишей (как папу). А вот еще одно фото того же дня — Снежинка с двоюродными братьями. Старший — Петр и младший — Сергей.

В первой в моей жизни квартире жило очень много народу. Моя прабабушка Анна Ивановна Образцова — бывший директор женской гимназии. Очень маленькая, старенькая и чистенькая женщина. Я помню ее плохо. Перед глазами только одна картинка — прабабушка сидит в кресле, на голове у нее беленький вязаный капор, и еще помню удивительные маленькие руки с идеальным маникюром без лака. Она была из обедневших дворян и воспитывалась на «шереметьевский счет». Говорят, она даже танцевала на балах. Я ее уважала и побаивалась. На стене у меня до сих пор висит написанный маслом портрет — Анна Ивановна в том самом белом капоре. Вместе с ней в комнате жила Эсфирь Яковлевна, она ухаживала за прабабушкой, которая к тому времени уже не ходила. Эсфирь Яковлевна курила большие толстые папиросы.

В другой комнате жил мамин брат дядя Алеша со второй женой Юлией и моим братом Сережей. Еще одно помещение занимала первая жена дяди тетя Галя, мой брат Петя и новый муж тети Гали дядя Глеб. У нас с мамой и папой были две проходные комнаты. Одна, где спали мама с папой, являлась по совместительству общей столовой, а вторая — моя. В ней — огромный книжный шкаф, который прадедушка купил когда-то у поэта Демьяна Бедного. С тех пор я сменила две квартиры, но шкаф всегда со мной. Я очень любила карабкаться по нему вверх с полки на полку, но однажды очень больно упала

Мой день рождения.
Фото брата Петра

Мы, молодые актеры,
вместе с Татьяной Лиозновой

Эта моя фотография долго висела
в фотоателье на Маяковской

с самой высоты и шлепнулась на игрушечный детский грузовик. Рано утром я перебиралась к маме с папой в кровать и устраивалась между ними. Мама просыпалась первой, и мы с ней долго лежали, разглядывали трещинки на потолке и придумывали из них разные рисунки.

А еще в квартире была кухня. А в кухне — маленькая дверка. Дверка иногда открывалась, и появлялась миниатюрная старушка — тетя Велли. Потом я поняла, что это был сквозной проход от соседей к нам, но тогда появление тети Велли казалось мне чудом. Волшебная старушка обязательно приносила что-нибудь вкусненькое. Мама рассказала мне, что, когда она была маленькая, тетя Велли провела ее через дверь к себе в уютную комнату, в которой была масса красивых вещей. Особенно маме понравились разные красивые пузырьки

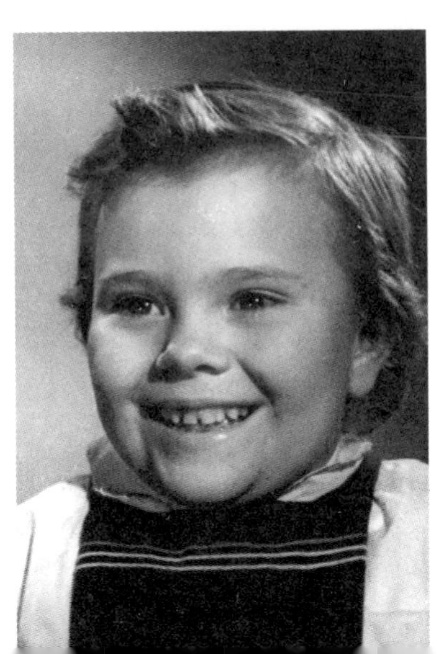

Пробы на роль
в фильме «Евдокия»

Я и папа
Михаил Васильевич Артемьев

и баночки, и маленькая мама прихватила один сверкающий пузырек с собой. Но совесть маму замучила, и она во всем призналась бабушке. Маму тут же послали назад через дверцу отдавать пузырек, и, сгорая от стыда, она появилась перед тетей Велли. Мама, конечно, плакала, тетя Велли ее утешала и подарила ей пузырек. Но бабушка сказала, что это не педагогично, и злосчастный пузырек снова вернулся к тете Велли (кстати, не знаю, откуда взялось это странное имя — Велли).

Эта история запомнилась мне на всю жизнь, видно, мама мне для того ее и рассказала, чтобы я знала, как стыдно брать чужое!

Помимо постоянных домочадцев у нас вечно жили какие-нибудь гости. Часто останавливался дядя Кока, бывший прадедушкин ученик. Он жил в каком-то селе и на пенсии занялся натуральным хозяйством, привозил соленые грибы, огурцы и квашеную капусту. Был он толстый, вальяжный и курил трубку. Я его обожала и дала ему это имя — Кока (а был он, видимо, Костей).

Потом к нам переехали тетя Лиля, художница и подруга мамы, со своим мужем молодым кинорежиссером дядей Сашей Миттой. Они

Мама с братом Петром,
а я еще не родилась

только что поженились, и им пока негде было жить. Дядя Саша рисовал для меня самодельные книжки. Одна из них сейчас лежит передо мной. Это поздравление с днем рождения.

«Желаю тебе быть настойчивой, как...» — нарисован дятел, «сильной, как» — нарисован слон, «и чтобы слушалась маму, как...» — нарисована собачка.

Как-то к нам приехала Тата Окуневская. Ее только что реабилитировали. Она была очень красивая, достала из сумочки губную помаду и накрасила мне губы. Получилось замечательно, но мама тут же подхватила меня в ванную и нещадно смыла всю эту красоту.

Прадедушка и летчик, который летал на «его» самолете

Однажды в нашей квартире появилась Гемма из Новосибирска. Она поступила в ГИТИС, и ей негде было жить. Гемма — дальняя родственница жены Бориса Владимировича, дедушкиного брата. А имя у нее такое странное потому, что ее папа был астрономом и назвал сына именем звезды первой величины Арктуром, а дочь именем звезды второй величины — Геммой. Гемме тогда было лет двадцать пять, а мне четыре. Я звала ее Гемкой. Она очень возмущалась такой фамильярностью. Мы ходили вдвоем по квартире, я держала Гемку за тонкую худую ногу (до руки я не дотягивалась), и мы пели ее любимую песню: «Травушка-муравушка зелененькая...» А еще Гемка возила меня на съемки. Дело в том, что в четыре года меня пригласили сниматься в кино. Да не к кому-нибудь, а к самой Татьяне Лиозновой в знаменитый фильм «Евдокия». Это история женщины, которая в тяжелые тридцатые годы усыновила брошенных детей. Сначала меня пробовали на роль подкидыша, но подкидыш из меня не вышел. Уж очень упитанным получался. И сыграла я уже внучку Евдокии.

А потом неожиданно я придумала финал фильма. В последней сцене вся семья Евдокии собирается вместе. Приезжает приемная дочь Евдокии с новым мужем. В дом входит новый человек. Пауза. Все домочадцы смотрят на него. И дальше никак не придумывается, как выйти из затянувшейся паузы. Я пожалела растерянно стоящего артиста, прошла мимо всех к нему, протянула руку и сказала: «Здравствуйте!» Так в фильме и осталось. А еще в «Евдокии» я пою свою любимую революционную песню «Мы шли под грохот канонады». Вот и фотография в моем семейном альбоме — я на съемках у Лиозновой. Как-то раз возвращались с Гемкой со студии и завернули в общежитие ГИТИСа, Гемме надо было навестить подружек. Они очень обрадовались нам и угостили чаем. Особенным чаем — просто в кипяток набросали леденцов. И сладко, и вкусно. Гемка сказала — это потому, что у девчонок нет денег на настоящий чай. На стипендию не проживешь. А еще у Гемки был поклонник. Однажды он пригласил нас с мамой в столовую есть котлеты. Мне понравилось. Вообще я с детства обожаю общепит.

В общем, жили мы весело — полон дом гостей и родственников. На праздники за столом все вместе — первая жена дяди, вторая жена дяди, второй муж первой жены дяди, братья, мы с мамой и папой. Дедушка Сергей Владимирович Образцов очень этим гордился: вот ведь, развелись, а не поссорились, дружат.

Но однажды я увидела маму всю в слезах. Папа, ничего не говоря, одел меня и повез к своей маме на Таганку. Я прихватила с собой плюшевого зайца Павлика. Бабушка Лиза жила вдвоем с дедушкой Васей в маленькой комнатке, в коммунальной квартире. Дедушка Вася был художником сытинской типографии, и художником замечательным. До сих пор у меня дома висят его работы. Бабушка — корректор той же типографии. Ее воспитал сын Сытина, так как вся семья бабушки погибла от эпидемии. Бабушка говорила: «Вот вы каждый день колбасу едите, а Сытины по-

Мемориальная доска на доме, где жил прадед. Бахметьевская, ныне улица Образцова

богаче вас были, а колбасу только по воскресеньям себе позволяли». Там, в типографии, они с дедушкой и познакомились. Говорят, дедушка любил кутнуть и, получив гонорар, нанимал тройку и приезжал за бабушкой. Бабушка же была удивительно скромным, тактичным и добрым человеком. Когда не стало дедушки Васи, она целиком отдала свою жизнь мне.

Когда мы с папой приехали на Таганку, дедушка пил чай, ложка громко стукала о стакан — дзинь-дзинь-дзинь. Мне налили чай, и я стала делать так же — дзинь-дзинь-дзинь. Я не понимала тогда, что дедушка Вася болен и много лет прикован к креслу, рука у него плохо работает, потому и получается это — дзинь. Во время войны в Москве набрали ополченцев. Была зима. По дороге на фронт всех ополченцев заморозили. У дедушки началась гангрена, а потом его разбил паралич.

Через несколько дней меня привозят домой. Понимаю, что́ произошло — дома больше нет прабабушки Анны Ивановны Образцовой.

Вскоре Петькин отчим дядя Глеб получил квартиру, и они уехали с Бахметьевской. А к нам поселили чужих людей — маму со взрослой дочкой. У дочки открытая форма туберкулеза. Моя мама очень боится за меня и перед купаньем отчаянно драит общественную ванну. Но вот уже и дядя Алеша получил ордер на отдельную квартиру, а потом и мы. Кончилась наша жизнь на Бахметьевской. В школу я пойду уже на улице Красикова. Но та первая улица снится мне до сих пор. Много лет спустя мы всей семьей приехали туда на открытие мемориальной доски: «В этом доме жил академик В. Н. Образцов». А брат Петька, когда ребенком переезжал на новую квартиру, украл табличку с номером дома: *Улица Образцова, д. 12*. Она до сих пор висит у него дома.

ДЕДУШКА ОБРАЗЦОВ

Я — маленькая. Мне лет шесть или семь. В театр приехал итальянский писатель, автор сказки «Приключения Чипполино» Джанни Родари. На мне лакированные туфли. Я толстенькая. Мне кажется, что вся публика смотрит на мои красивые туфли и забывает обо мне. Я вхожу в театр. Мест нет. Я как все, никаких льгот для внучки не существует. Это нормально. Я к этому привыкла. Так положено. Я уважаю этот театр, как впоследствии уважала и все другие, где мне привелось работать.

Я — с другими детьми на спектакле Театра кукол (Моя мама, Наталия Сергеевна Образцова, — актриса этого театра). Мы входим за кулисы на цыпочках. Мы в восторге! Влюбляемся в кукол! Берем в руки пуделя Артемона из спектакля «Буратино». Тут же слышим мягкое, но вполне конкретное распоряжение помощника режиссера: «Девочки!

Дедушка с куклой Аладдина

Образцов с куклой из спектакля «Необыкновенный концерт». Эту роль играла моя мама — героиня номера «Оперетта»

Покиньте сцену! Начинается спектакль». И затем объяснение от мамы: «Куклу может трогать только тот, кто с ней работает. Кукла — часть артиста». Обидно, но вполне понятно.

Мне семь лет, и я качаюсь во дворе на качелях. Приходят большие дети и пытаются выгнать меня. Они обзываются, обижают. И я говорю: «А вы знаете, кто я?» — «Кто-кто?» — кричат мои обидчики. «Я — внучка Образцова», — выпаливаю в отчаянии и, воспользовавшись паузой, убегаю. Мне стыдно, как никогда в жизни. Стыд этот остался во мне до сих пор. Больше уже никогда, ни в школе, ни в институте, я не говорила этого. Многие, конечно, знали, но чаще всего не от меня. Это вовсе не значит, что я не гордилась дедушкой. Гордилась и восхищалась, но виделась с ним тогда редко.

У него — театр, фильмы, книги, сольные концерты. Но раз в месяц у нас в семье бывал настоящий праздник. «Объезд родственников» назывался. То есть дедушка объезжал всех, а тот, кого он навещал последним, устраивал ужин. Это было или у нас, или у дяди Алеши, или у дяди Бори, или у кого-то еще. Но сначала посещалась каждая квартира, а потом уж все вместе собирались в одной. Для меня это был очень ответственный день — генеральная уборка. В мою обязанность входило вытирать пыль, особенно трудно приходилось с пианино.

Дед и конферансье о чем-то разговаривают

Смешное фото. Дедушка играет с куклой в шахматы.
Кто внутри куклы, не знаю

Кукла Тяпа
признана лучшей играющей куклой XX столетия

Станиславский смеется.
Дедушка показывает свой знаменитый номер.
Этот шарик на пальце станет позднее эмблемой его театра

Сергею Образцову от Мейерхольда

Сергею Владимировичу
Образцову —
непревзойденному мастеру
в работе
с куклами,
с приветом
и пожеланиями
дальнейших усовершенствований
в области кукольного театра

30.V 1936.

Конечно, в основном все делали мама с бабушкой. Но если вдруг «объезд» срывался, мне было очень обидно сидеть в вычищенной квартире, как «дурак с мытой шеей».

Позже, когда я оканчивала институт, мы с мамой переселились поближе к дедушке. Наши квартиры — на одной лестничной площадке. Мы стали большими друзьями и полюбили друг друга еще больше, хотя очень много спорили. Мне была предоставлена полная свобода и в выборе профессии, и в выборе своей точки зрения на проблемы искусства, что, однако, не означало ее одобрения. В двух словах это выглядело так: «Делай как знаешь. Всегда готов посоветовать. Но только все

Для своего сольного концерта дедушка кукол делал сам...

Дома с любимой семиструнной гитарой

сама». Как я сейчас благодарна за эту простую и точную позицию, давшую мне возможность пройти свой собственный путь с минутами отчаяния и отчаянного счастья, но моего собственного.

По обрывкам фраз, телефонных разговоров я понимала, что мы отстаиваем одно и то же, что наши гражданские позиции очень схожи.

Образцов (кому-то по телефону):

— Нет, я не буду писать о дискриминации негров в Америке.

Догадываюсь, что на том конце провода удивились, дедушка объясняет.

Образцов: Потому что у нас в стране дискриминация евреев... Говорите, я заблуждаюсь?

Абонент: Вы заблуждаетесь.

Образцов: Когда перестану заблуждаться, непременно напишу о неграх.

Или другой разговор, при котором мне тоже повезло присутствовать. Дедушку просят подписать письмо против Солженицына.

Абонент: Надо подписать письмо, осуждающее тлетворное влияние Солженицына.

Образцов: Пришлите мне работы этого автора, а то я не читал, не знаю, что осуждать. Не можете прислать, потому что он запрещен?

Абонент: Но как же мы вам пришлем, если он запрещен?

Образцов: В таком случае ничем не могу вам помочь.

И это происходило в то время! Позже я узнала, как дед помогал своему репрессированному другу Симону Дрейдену, как писал письма в защиту Мейерхольда. А когда ему предложили уволить оркестр театра «потому, что там много еврейских фамилий», в списке на увольнение, который он подал, первой стояла фамилия — Образцов.

Мы стали видеться чаще. Сижу у себя дома с гостями. Звонок: «Приходи. Нам с мамой скучно без тебя». Я: «Но у меня гости...» Дедушка: «Все ко мне!» А это — уж точно до трех утра. В две гитары — песни, романсы. Все мои друзья обожали его. И никогда ничего вроде: «В наше время...» Только о будущем. Современней всех нас. Никаких барабашек, инопланетян и прочей чуши. Никакой зависимости от погоды. Мы все: «Спина болит — к дождю, снег пошел — давление изменилось». А у него всегда хорошая погода: «Что это с вами? А я ничего этого не чувствую. И вообще. Знаете, кто такой старый человек? Это тот, кто лежит на диване и вспоминает прошлое. А молодой — тот, кто даже если и лежит на диване, то думает о том, что он сделает завтра!»

Вот таким, навсегда молодым, он и остался.

МОЯ МАМА — ЗАСЛУЖЕННАЯ АРТИСТКА

Я отказалась ходить в детский сад. Мне там делать нечего. Мама с папой говорят, что меня не с кем оставить и что если я пойду в садик, то мне купят хомяка. Пускай покупают. Ну вот. Купили — а все равно не хочу никуда идти: теперь есть хомяк, с ним дома веселее. Мама с папой говорят, что отдадут хомяка, если я буду так себя вести. А я совершенно не боюсь: они этого хомяка уже сами полюбили. Я хоть и маленькая, но знаю, что мой дедушка — Самый Большой В Мире Друг Животных, и родители у меня такие же. Вообще-то мне родителей жалко: им на работу надо идти. Говорю папе: «Хорошо, пойду в садик, только на санках и дальней дорогой». Папа возражает: «Но, доченька, ведь на дворе май, какие санки?» — но потом все-таки повез на санках по асфальту. Хорошие у меня все-таки родители, и хомяк смешной. Если его запустить в рукав рубашки, то он очень щекотно бегает по телу. А потом вылезает через другой рукав.

Моя мама днем — артистка театра, а вечером — артистка «на телевидении». На Шаболовке снимают детские передачи. Вот и меня забрали раньше из садика (не дали доиграть — мы с девочками прятали в землю «секретики» и закрывали их стеклышками) и повезли на съемки.

Мама с куклой Тёпой на съемках

Тетя Валя за столом, а мама под столом.
Это чтобы ее не было видно, когда тетя Валя будет общаться с Тёпой

Называется — «Ночной тракт». Это предварительная запись передачи. Я буду играть у них мальчика, недавно меня коротко подстригли. Съемка идет долго. Мама с куклой, ведущая и я. Объявляют перерыв.

Я — сонная и усталая. В буфете ведущая пристает ко мне: «Деточка, расскажи нам, ты любишь своего дедушку?» Отвечаю: люблю. «А за что ты любишь своего дедушку?» Отвечаю: не знаю. Она все не отстает. Тогда я не выдерживаю: за то, что он подарки привозит. Что тут началось!

И еще раз мама с любимцем детей шестидесятых

Мамины герои телепередач — Тёпа и Буратино

Вот так мама с тетей Валей Леонтьевой любят Тёпу

«Деточка, так нехорошо говорить! Людей не за подарки любят!» Я сама знаю, что нехорошо, но она очень уж меня замучила. Мама говорит, что надо быть сдержанней. Я постараюсь.

Лето. Я на даче у Еланских*. Мой лучший друг — их сын Саша.

---

* Е. И. Еланская — лучшая подруга Н. С. Образцовой, основатель театра «Сфера», народная артистка России.

Мама — на гастролях. Мы с бабушкой Лизой уже наварили для нее варенье из земляники. А теперь с Сашей ходим за грибами. Я решила, что сама буду есть только сыроежки, а все белые засолю для мамы. Она приедет и очень обрадуется. Больше всего на свете я люблю маму и еще собирать грибы. Мы с Сашкой даже поспорили, кто больше любит свою маму. Он сказал, что тетю Катю (свою маму) любит так, что когда вырастет, то женится только на ней.

Вот и мама приехала с гастролей по Дальнему Востоку. Обрадовалась и варенью, и грибам. Привезла мне в подарок настоящую тельняшку. Соседка по даче Шурочка говорит, что это очень модно, уж она-то точно знает.

Осень. Я пошла в первый класс. Мама опять днем в театре, вечером — на телевидении. Зарабатывает деньги. Очень хочется ей помочь. Поэтому горжусь, если снимаюсь в кино: мне ведь тоже что-то платят. А поздним вечером мама стирает и при этом поет очень грустную и протяжную песню: «Летят утки, летят утки и два гуся...»

На телевидении у них новые передачи — «Выставка Буратино» и «Шустрик и Мямлик». Тяжелая у них работа. Ведущая тетя Валя сидит за столом, а мама и другая артистка — тетя Света Шеповалова — сидят под столом, а сверху на вытянутых руках кукол держат. Руки

Мама и актриса Алла Костюкова с куклой из спектакля «Дон Жуан»

Мама с куклой фокусницы
из первого варианта «Необыкновенного концерта».
Тогда театр был еще на Маяковке

у мамы потом очень болят, но она говорит, что работать интересно. Еще они ездят по разным фабрикам — «Шустрик и Мямлик на Кондитерской фабрике», «Шустрик и Мямлик на Ткацкой фабрике», «Шустрик и Мямлик на Хлебозаводе». До сих пор у меня хранится дома бракованный смычок с Фабрики струнных инструментов.

Вечером мама пришла с телевидения уставшая, но очень веселая — придумана новая передача! Условное название «Спокойной ночи, малыши!». И ей дали главную роль — зайца Тёпы. Так мама стала всесоюзноизвестным ушастым героем и любимцем детей 60–70-х годов.

И сейчас, когда я ложусь спать, со шкафа на меня смотрит тот самый Заяц.

Вот я уже взрослая. Мама — заслуженная артистка России с множеством наград и дипломов, объездившая полмира с театром своего знаменитого отца. Она сыграла множество ролей: среди них и знаменитая фокусница из «Необыкновенного концерта», фраза которой «Я готова!» была произнесена на всех языках мира, и Буратино, и Принцесса Петютя, и Русалка из «И-го-го», и многие, многие другие. Я очень горжусь своей мамой. Ее талантом, ее скромностью (она ведет себя совсем не как дочь человека, которого коллеги в театре зовут не иначе, как Хозяин),

Мама, Анатолий Вещиков и Валерий Гаркалин. Они партнеры. В спектакле «Волшебная лампа Аладдина» Валера играет Аладдина, а мама — принцессу Будур

Мама после спектакля

ее отношением к работе: самый большой страх — опоздать на репетицию. Только иногда я ревную и сержусь. Говорит, что вечером будет дома, а сама опять на приеме в Моссовете — кому-то из работников театра отказали в квартире, а у них дети, и т. д., и т. п. Трудно перечислить, скольким людям она помогала: квартиры, врачи, школы, детские сады.

И еще я ревновала к дедушке. Казалось бы, еще совсем недавно мы сидим втроем на кухне — дедушка, мама и я. Я только что вернулась домой. Дед хитро смотрит на меня и говорит: «Не хотел тебя огорчать, но Наталочка только что сказала мне по секрету, что она любит меня больше, чем тебя». А я отвечаю: «Это она тебя не хочет расстраивать, потому что утром она сказала мне, что любит тебя чуть меньше, чем меня». Мама сердится на нас, мы успокаиваем ее и все дружно смеемся. Нам хорошо. Мы любим друг друга.

Вот уже много лет как нет деда. Когда-то он написал в своей книге «По ступенькам памяти»: «Непонятное это слово "умер"... Никогда не соглашусь ни с чьей смертью, да и со своей тоже...»

А теперь не стало и его лучшего друга — моей мамы. Такой любви в моей жизни уже больше не будет.

ВОТ ТАКИЕ ПИРОГИ

Мой дедушка очень любил гречневую кашу. С молоком. А вообще в еде был неприхотлив. Никогда от него не слышали: «Этого я не ем».

Он просто садился за стол и с удовольствием ел все, что ему предлагали. Чаще всего даже не обращал внимания на еду.

Был такой случай. Дедушка страдал диабетом, и ему обязательно надо было вовремя поесть. На работу ему давали с собой пакетик с бутербродами. Так вот, однажды жена перепутала и вместо пакетика для дедушки положила ему в портфель пакетик с остатками еды для собак. А он даже и не заметил и покорно все съел. Дома была паника. А он пришел и сказал: «Спасибо! Было очень вкусно!»

Но, конечно, кое-какие кулинарные пристрастия у него были.

Дедушка выбирает голубей на Птичьем рынке

Про гречневую кашу с молоком я уже рассказала. А еще — жареные пирожки с зеленым луком и яйцом. Их отлично пекла моя бабушка Елизавета Ивановна (не жена дедушки, а мама моего отца).

Однажды, когда мне было лет десять, мы с бабушкой получили заказ: испечь на день рождения деда сто пирожков с яйцом и луком.

Целый день мы с бабушкой занимались пирожками. Я старательно закрывала тесто с уже готовой начинкой, прищипывая его пальцами.

Мои пирожки получались не такими красивыми, как у бабушки, и в результате мне было доверено лишь класть ложечкой начинку на кружочек теста. Это тоже удалось не сразу — я бухала слишком много начинки, и кусочки лука из закрытого пирожка торчали во все стороны. Но мы все-таки справились. К концу дня в кухне стояла страшная жара из-за постоянно работавших конфорок, но в корзинке уже красовалось ровно сто роскошных пирожков.

Дело было летом, дедушкин день рождения — 5 июля, и гости были приглашены на дачу во Внуково. На большом столе на двух блюдах разложили по пятьдесят произведений нашего кулинарного искусства. Пока поджидали гостей, разбрелись кто куда и стол оставили без присмотра. Но «враг» не дремал. Надо сказать, что у дедушки на даче было полно всякой живности — рыбки (они вне подозрения), кошки, собаки, голуби, куры, даже утки и гуси (не для того, чтобы зажарить их к Рождеству, а для красоты и всеобщего удовольствия).

Так вот, среди всех этих «товарищей» был огромный сенбернар по кличке Барри. Сенбернаров тогда в Москве практически не было — Барри щенком был привезен из-за границы. Им очень гордились. Вообще-то эти огромные псы должны спасать людей в горах. Их впрягают в специальные сани, и они эвакуируют пострадавших из зон снежных обвалов. Но Барри, похоже, этого не знал и в подаренные ему кем-то санки впрягаться отказался, как, впрочем, и жить в роскошной, построенной для него будке.

Спать он предпочитал вместе с дедушкой. На одной кровати. Да дедушка и не возражал.

Но вернемся к пирожкам. Я вошла в комнату в тот момент, когда

Это он съел наши пироги

слюнявая морда сенбернара уже лежала на скатерти, а глаза с вожделением смотрели на наш с бабушкой кулинарный шедевр. Видимо, мое неожиданное появление подтолкнуло пса к действию.

Огромная голова приподнялась, и не менее огромный язык в мгновение ока слизнул с тарелки все пятьдесят пирожков. Потом голова развернулась в сторону второй тарелки, но я уже крепко держала ее в руках. Так и застали нас взрослые — застывшими друг против друга. Вы думаете, Барри влетело? Ничего подобного! Весь день рождения его добрая слюнявая голова лежала на столе. Жалобно смотрели карие глаза. Только иногда он исчезал под столом, когда рука сердобольного гостя протягивала ему очередную подачку. Чаще всего пес появлялся около деда. Тот подкармливал его с явным удовольствием. Дедушка любил

Семья на даче у пруда

Дедушка с Ильей Эренбургом

рассказывать, по-моему, об Эренбурге, что, когда того спросили, как он может кормить собаку со стола, тот ответил: делаю это не для ее, а для своего удовольствия. Так поступал и дед. Вот такие пироги с луком!

Еще дедушка очень любил перемячи. Это татарское название. А мы знаем перемячи как беляши. Ими часто торгуют на улице. Но таких перемячей, какие делала тетя Софа (София Абдуловна — дедушкина двою-

Кукольники на даче

родная сестра), вряд ли кому удавалось попробовать. Дело в том, что у нас есть татарские родственники. Родная сестра дедушкиной мамы Анны Ивановны, баба Лена, вышла замуж за татарина еще до революции. Вот откуда они взялись, наши татарские родственники. Об этой истории очень интересно написано в дедушкиной книге «По ступенькам памяти».

Вернусь к перемячам. Итак, начинка: говяжий и бараний фарш со специями (свинину татары не едят). А дальше — восхитительное тесто, закрученное гофрированной юбочкой с дырочкой посередине. Через эту дырочку видно фарш. А начинки много — не то что на улице в ларьках. Дырочка в центре делается большим пальцем при придании перемячу его законной круглой формы. Тетя Софа быстро-быстро перебирала пальцами, наводя весь этот блеск, и последней точкой всегда был ее большой палец в центре творения. Все мы, родственники и гости, пробовали так крутить тесто, но ни у кого не получалось. Перемячей делалось много, жарились они сразу на нескольких сковородах. А когда перемячи наконец появлялись на столе, наступал ответственный момент. В ту самую дырочку в центре, через которую виднелся фарш, надо было налить уксуса, положить горчицы и все это залить сметаной. Пишу, и слюнки текут, до чего же это было вкусно! Тетя Софа с двумя невестками накрывала огромный стол (люди они были небогатые, но очень гостеприимные и подобные пиры закатывали вскладчину). Здесь были и салаты,

У тети Софы на перемячах

Мы с дедушкой за столом празднуем его 90-летие

и закуски, но царствовали перемячи. Всю остальную снедь уносили со стола, едва тронув. А уходя, объевшиеся гости умоляли тетю Софу в следующий раз не готовить ничего, кроме перемячей. А она всегда ждала прихода своего любимого, знаменитого брата Сергея. Знала, что он обожает ее стряпню. И если вдруг он не мог приехать, например, играл вечером свой сольный концерт, она, провожая нас с мамой в дверях, говорила: «Это Сергею». В руках у нас оказывались два пакета — в одном перемячи, а в другом — уксус, сметана и горчица.

Да дед уже и сам с утра говорил: «Счастливые, к Софке едете. А я не могу. Привезите перемячей!» И, придя с концерта, первым делом спрашивал: «Привезли?»

Разогретые перемячи с приправами оказывались перед ним. А он продолжал: «Завидно небось, вот я сейчас ем, а вы уже в гостях поели?» Мы отшучивались: «Зато у нас свежие были, а у тебя подогретые». Потом, когда уже не стало тети Софы, перемячи стала делать жена ее старшего сына Алика. Только она одна и научилась.

А еще дедушка любил пробовать все новое. Мама рассказывала, что, когда в Москве еще не продавались маслины, они с дедушкой оказались вместе на гастролях за границей, дедушка купил и принес в гостиницу маслины.

Мама попробовала, и ей не понравилось. Тогда дедушка сказал: «Наталка, — так он звал мою маму, — маслины — это такая хитрая штука. Их надо съесть десять штук подряд, и тогда ты от них уже не оторвешься». Ради дедушки мама давилась маслинами, но его рецепт подействовал — она маслины полюбила. Когда они вернулись домой в Москву, тем же способом обучили и меня. И я теперь маслины обожаю.

В последнее время, когда мы с мамой переехали в дедушкин дом, а дедушкиной жены уже не стало, праздничные столы обычно накрывала я. Когда накануне застолья я рассказывала дедушке, какие салаты и из чего собираюсь приготовить, он перебивал меня: «А можно все то же самое, но только отдельно, не в салате?» Правда, один салат он очень любил — опять же с зеленым луком, яйцом и майонезом. Но высшей похвалы у него я добилась за свою пиццу: «Такой пиццы я и в Италии не ел!»

Надо сказать, что за столом у нас пили водку, и только водку. Я никогда не видела дедушку ни пьяным, ни даже выпившим. Он всегда знал свою меру, а любил только водку, других напитков не признавал. Называл ее «утешительная». И вечером после работы, когда мы садились за стол, спрашивал: «Наталочка, у нас есть утешительная?»

А на десерт — разрезанный пополам грейпфрут с сахаром. Его нас тоже научил есть дедушка. Надо было разрезать грейпфрут пополам так, чтобы дольки образовали сектора, каждый сектор отделить ножиком от

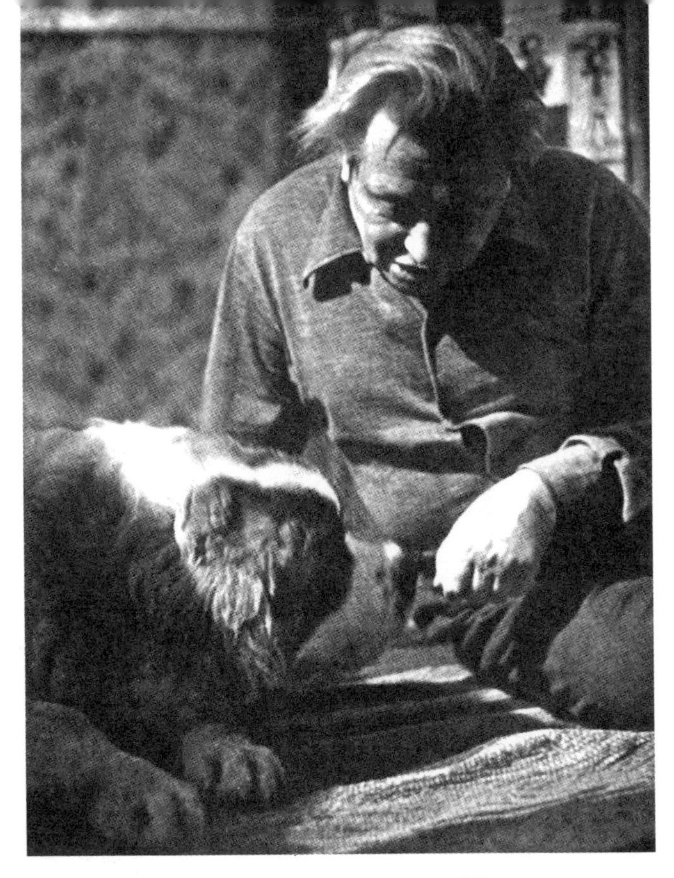

С Базаром на диване

другого и засыпать сахарным песком, а потом выедать эти сектора ложечкой. Замечательно вкусно!

За чаем его рука тянулась за шоколадными конфетами. «Папа, тебе нельзя, ты уже съел две. У тебя диабет!» — говорила мама.

«Очень хочется», — оправдывался дедушка.

Ну, вот и все.

«КОМУ ОН НУЖЕН, ЭТОТ ВАСЬКА»

«Кому он нужен, этот Васька» — название документального фильма, который снял мой дедушка.

Ведь Сергей Образцов был не только знаменитым кукольником, а еще документалистом, и писателем, и художником.

Когда мне было лет семь, фильм вышел на экран. Что тут началось! Дедушку завалили письмами со всех уголков страны. Телефон звонил не переставая. К дверям квартиры приносили котят и щенят.

Фильм был о животных. И не просто о животных, а о той роли, которую они играют в воспитании человека. Помимо кадров с прелестными созданиями были и очень страшные, например — опрос уголовников. Оказывается, большинство из них в детстве издевались над животными. Картина мгновенно завоевала всесоюзную славу, и многие поколения воспитывались на ней.

Дедушкин дом во Внукове

Дедушка с той самой обезьянкой

Я очень гордилась тем, что мой дедушка такой знаменитый защитник животных, и старалась брать с него пример. Помню, как в нашем дворе появились взрослые мальчишки с дробовиком и стали стрелять по птицам. Я повисла на спине одного из них и вцепилась в него. Мальчишка никак не мог меня сбросить и страшно перепугался. Я отчаянно визжала, и в конце концов его спутники тоже струхнули. С криком: «Уберите бешеную!» — они бросились наутек. А я, очень довольная собой, возвратилась с победой домой.

Тогдашние наши соседи по лестничной площадке оказались большими оригиналами. Их было много: мама, папа и шестеро детей. Помимо

Дачные работы

этой компании в квартире проживало еще множество подобранных на улице собак и кошек. Из специально вырезанной в дверях дырки постоянно торчала чья-нибудь морда. Блохи от всей этой братии перебегали к нам в квартиру, и я помню, как мы ставили тазы со свечками, чтобы насекомые прыгали в них. А я, закусанная в кровь, спала на кухне, поставив на стол табуретку. Только на такой высоте они до меня не допрыгивали. Но жаловаться было нельзя, ведь соседи тоже защищали зверей, как и наш дедушка. Люди они были бедные, но всем, что у них было, делились со своими питомцами. А потом одна из их дочерей пошла работать в зоопарк. Сначала к ним переехал больной волчонок, а потом и обезьянка. Запах из-под их двери был невыносим.

Как-то к нам в гости приехал дедушка. Он тут же напросился к соседям — посмотреть на обезьянку. Взял фрукты и пошел. Мы с мамой за ним. Что же было внутри этой квартиры, куда раньше нас никогда не звали! Да и понятно почему! Все перевернуто вверх дном, кругом записанные подстилки с собаками и их щенками, кошками и их котятами, да еще и волк с обезьяной, не считая раненых голубей и прочих птиц. Никакому зоопарку такая вонища и не снилась! Дед стал с удовольствием всех рассматривать и про всех расспрашивать. Потом ему разрешили покормить обезьянку фруктами, но только сначала помыв их и почистив, чтобы та не подцепила заразы. И это — в такой антисанитарии! Мы с мамой задыхались от запахов. Первой не выдержала я и убежала домой, за мной — мама. Дед явился примерно через час в отличном настроении. Он не заметил ни вони, ни чудовищного беспорядка и пребывал в полном восторге и от зверей, и от хозяев. Да и соседи уже говорили с ним на одном языке, по-свойски. Ведь у них одна общая любовь и одни интересы — животные.

Так же его принимали и на московском Птичьем рынке. Стоило деду появиться — и рынок уже гудел: Владимирыч пришел!

А еще помню, как в наш двор приехала большая машина, заби-

Коза-киноактриса.
Снимается в документальном кино

Снимается фильм
«Кому он нужен, этот Васька»

равшая бродячих собак. Длинными шестами с петлей на конце ловили обезумевших псов. И дети наших соседей на последние гроши выкупали несчастных животных. В общем, дедушка был прав они действительно замечательные люди.

Когда дедушка был маленький, он очень любил голубей. Гонял их в Сокольниках, где жила тогда его семья. Знал все породы. Залихватски свистел. А когда, уже в зрелом возрасте, у него появилась дача, то завел голубятню и там. Большую, настоящую, конечно, порядком загаженную своими жильцами. Убирать это сооружение приходилось моей маме. А потом у дедушки появилась аллергия на пернатых. Сам он отнесся к этому факту с оптимизмом и присущим ему умением воспринимать все со знаком плюс. А когда на дачу приезжали гости, устраивал для них настоящее шоу: «Вот я ставлю градусник — 36 и 6. Поднимаюсь на голубятню, спускаюсь, ставлю градусник — 39. Удивительно!»

Но родные и близкие не разделяли дедова восторга. Их больше волновало его здоровье, и голубей пришлось раздать. А голубятня еще многие годы причудливо торчала по-

Петухи тоже жили на даче. Голос именно этого петуха звучит каждый час в курантах на здании театра

среди участка. Снесли ее уже когда деда не стало. Деревянное сооружение совсем прогнило.

На даче проживало немало различных обитателей: гуси, декоративные куры, утки, рыбки, породистые и непородистые собаки и кошки. И командовала этим «стадом» весьма колоритная личность — Вера Федоровна (Верка, Верунчик, Федоровна), бывшая медсестра ветеринарной клиники. Верка обладала удивительным свойством создавать вокруг себя хаос и беспорядок. В сторожке, где она жила, никто из нас никогда не был. Туда просто невозможно было зайти — с порога громоздились какие-то предметы, тряпки и прочий хлам. Зато через всю эту кучу перелезал аккуратненький и чистенький Веркин спаниель с бантиком на шее. После завтрака Верка говорила приехавшей на дачу маме: «Наталочка, ну зачем ты посуду моешь? Ведь еще обедать будем».

Платья у Федоровны были шикарные, но никогда не стирались: «А чего стирать-то? Сносится — выброшу!» Зато все животные на даче были в идеальном порядке. Верка их страстно любила и страстно лечила. За это дедушка Верунчика обожал, грязи не замечал и называл только Верой Федоровной.

Когда кто-нибудь из собак безобразничал, по всему участку разда-

Это дедушка первым завез сиамских кошек в Россию

На голубятне

вались Веркины крики: «Ах ты Рейган проклятый! Милитарист!» Это относилось к приблудному кобелю Бандиту. Мы спрашивали: почему Рейган?

— А он как Рейган в своей Америке... Делает, что хочет! Кобель паршивый!

Из комнат неслось: «Ах ты Гитлер, куда прешь!» Это уже к Бемби, ожиревшей левретке дедушкиной жены со следами губной помады от поцелуев хозяйки.

— Вер, ну почему Гитлер?

— А Бембик — как Гитлер! Лезет, куда не надо, — находилась Верка.

Толстая подлиза дворняга с соответствующим именем Лиза удостоилась стать Мао Цзэдуном. «Она хитрая, как китаец», — заявляла

Верка. Только Сталиным никто не был. Видно, Верка боялась призрака вождя.

Как-то дедушка привез из Америки двух крокодильчиков в целлофановом пакете. Малюток подарил ему сын Шаляпина. Они жили сначала в московской квартире в террариуме и ели червяков. Потом подросли и стали есть мясо. Кормить Тотошу и Кокошу, как их назвал дедушка, стало опасно, и, жалея деда, это, конечно, опять делала моя мама. Как-то в Москву прибыла Верка и пожалела крокодилов:

— Ну, что вы их все взаперти держите? Дайте хоть по паркету погулять! — и выпустила зеленых. Лапы на натертом полу у них разъезжались, и, видимо, это стало крокодилов злить, потому что один из них, то ли Кокоша, то ли Тотоша, тяпнул Верку за палец. Верунчик охнула: «Мне же сейчас с любовником встречаться!»

Дело в том, что приезжала Федоровна в Москву встречаться с другом. И приезжала, надо сказать, раскрасавицей — платье, макияж,

С хозяином хорошо

духи, прямо не узнать в ней дачную Верку. А ходили они с другом в филипповскую булочную. Есть пирожные.

Видите, сколько места заняла в моем рассказе Вера Федоровна. Несмотря ни на что, любили ее все — и люди, и животные.

Вот сижу я, пишу эту историю, а на меня большими глазами смотрит серый кот. Который раз уже подходит и лапой мне по коленке скребет. Требует внимания, значит. Зовут кота Шаляпин. Это его так дедушка назвал. За громкое басовитое урчание. Приблудился Шаляпка к моей маме, когда она шла домой со спектакля. Маленький серый котенок пошел за ее ногами от магазина «Рыба», который раньше на Петровке был. С тех пор он у нас пятнадцать лет живет. Но по-прежнему бодр и весел. Вот опять на меня смотрит, будто спрашивает: «Ну что, нужен я здесь кому-нибудь?» И ведь знает, что нужен. Пойду кормить Шаляпина.

ИРОД-ЦАРЬ

Восьмидесятые годы. Зима. Сижу дома. Не помню отчего, но мне очень грустно. Мама на спектакле. У дедушки сольный концерт. Муж на работе. Когда они еще все придут?

И вдруг вспоминаю — завтра Рождество! Значит, сегодня — ночь перед Рождеством (тогда еще этот замечательный праздник официально не справлялся). Сняла с полки два старинных томика, подаренные дедушкой, «Русские обряды и праздники». Начала читать. А когда раздался звонок в дверь, я уже была готова к «Ночи перед Рождеством». Первым пришел муж Володя (два метра ростом, косая сажень в плечах). Я стащила с него дубленку, вывернула наизнанку, надела снова. Затем достала цепь от поводка нашей любимой собаки Дуньки и повесила на покорного Володю. Вот вам и первый персонаж для похода с колядками — медведь на цепи!

Снова звонок в дверь — пришла мама со спектакля и тут же включилась в игру. Мы размалевали себе лица. В общем, из нас получилось

Мы с подругой Наташей — ряженые

не пойми что — куклы какие-то. Взяли для подарков старый брезентовый рюкзак и вышли на лестничную площадку колядовать по соседям. В этот момент на нашем этаже останавливается лифт, и из него выходит дедушка. Дубленка нараспашку, на груди видна Звезда Героя — это он с концерта приехал. Увидел нас. Удивился: «Вы куда? Колядовать? А вы хоть знаете как? Подождите меня!» Через две секунды он уже снова на площадке. Без дубленки, на голове повязан платочек — тоже вроде как ряженый, только на пиджаке осталась Звезда. Так со Звездой и пошли. Дедушка замечательно пел и колядок знал множество. Пел и на украинском языке, и на русском. Позвонили в дверь к Немировичам-Данчен-

Сольный концерт в Останкине

Мама колядует

Черт крадет месяц в ночь
перед Рождеством

Колядующие поют: «Ирод-царь...»

Колядки закончились. Стол накрыт

ко (там живет внук Владимира Ивановича Вася). Долго никто не открывал. Мы испугались — поздно (повторяю, что в 80-е годы этого праздника в календаре не было). Дедушка запел колядку:

> Ирод-царь за Христом гонялся,
> Он его, батюшку, боялся.
> Середь шляху растерялся,
> Во седельце не сдержался
> И упал на шлях, и упал на шлях...

Открыли! Из дальней комнаты слышны голоса. Празднуют. Увидели деда — приглашают! Навалили в наш старый рюкзак яблок, конфет...

Мы не остались — пошли дальше. Успех нас окрылил. С дедом здорово колядовать!

Звоним в дверь к Марецким (там дочь Марецкой — Маша). Празднуют! Услышали колядку. Увидели нас, ряженых, — хохочут! За стол зовут. Мы обещаем вернуться и идем дальше. Рюкзак стал еще тяжелее.

Подходим к двери знаменитого артиста Марка Исааковича Прудкина. Звоним. Дедушка запел на иврите. За дверью какой-то шорох. Затем тишина. Мы постояли и спустились на свой этаж. Зашли в дедушкину квартиру. Теперь там музей-квартира Сергея Образцова. Сразу звонок: «Сергей Владимирович, это не вы ли сейчас у нас под дверью на иврите пели? Ах, вы? Извините, что не открыли. Думали — мало ли что? Вы уж не сочтите за труд, зайдите еще раз. Очень вас видеть хочется!» Это жена Прудкина Екатерина Ивановна позвонила. Пришлось снова подниматься. И снова в рюкзак посыпались конфеты. А в конце этой замечательной ночи все собрались у Марецких — весь подъезд. Высыпали на стол все, что наколядовали, и пир продолжался до утра. Потом это стало традицией. Под Рождество нас уже ждали, и каждый раз мы собирались вместе то у нас, то у Немировичей, то у Марецких... Замечательное было время!

Прошли годы. Нет уже ни дедушки, ни мамы, ни Марка Исааковича Прудкина.

В 2005 году я поставила в Театре кукол спектакль «Ночь перед Рождеством», премьера которого состоялась 6 января.

Начинается он дедушкиной колядкой: «Ирод-царь».

ДУНЬКА

Вечер 31 декабря 1983 года. Суета. Накрываем на стол. Бегаем с мамой из квартиры в квартиру (дедушка живет напротив нас). Придут гости и к деду, и к нам. Так что мы устраиваем сразу два стола. Накануне я повздорила со своим мужем Володей. Уже поздно, а его все нет и нет, а вместе с ним нет и шампанского, которое ему было поручено купить.

Дедушка играет с Дунькой

Вот уже пришли друзья — надо садиться провожать Старый год. Вдруг звонок в дверь. На пороге — Володя с бутылкой шампанского, а рядом с ним странное существо — лохматое, большое, черное с проседью и лает. Чудище влетает в дом и прыгает прямо на диван. Наша кошка фыркает и убегает в другую комнату. А гости кидаются угощать со стола «бедную собачку». Тут входит дед, смотрит на пришелицу и спрашивает: «А это что за Дунька?» Так собака и получила свое имя. Дедушка Дуньку осмотрел, подтвердил, что это девочка, а седая такая не потому, что старая, а от переживаний. Собака оказалась помесью королевского пуделя с кем-то, а пудели очень нервные. Во время осмотра «нервный» пудель пытался облизать дедушку с ног до головы. Вообще Дуньке у нас явно нравилось. Она веселилась, играла с гостями, которые тоже были рады

Опять мама спасла кого-то

Мама и дедушка с питомцами

ее появлению. И я забыла про ссору с Володей и вместо того, чтобы «пилить» его, занялась Дунькой. Оказывается, все происшедшее было «военной хитростью» мужа. Кто-то из друзей посоветовал ему: «Хочешь, чтобы жена тебя не ругала, — купи какую-нибудь живность. Жена умилится и все забудет!» Володя весь день искал подходящий «подарок», но ничего найти не смог. Обреченно заехал в ресторан «Центральный» за шампанским. И вдруг видит — у швейцара в гардеробе привязана собака. «Вон, видите, мужик один за столиком пьет? Привел бабе собаку в подарок на

Новый год, а баба прогнала и его, и собаку. Вот мужик и расстроился», — объясняет швейцар. Уломать горемыку, чтобы он отдал собаку, было минутным делом. Муж отвязал Дуньку, и та радостно прыгнула к нему в машину — видно, не в первый раз на машине каталась.

Когда гости разошлись, мы стали решать, где нашей гостье ночевать. У нас нельзя — кошка Чебурашка (Чебка) из-под кровати не выходит, боится. Отправили Дуньку к дедушке.

Наутро все разбежались кто куда. Я — на новогодние елки подрабатывать. Январь — самый доходный месяц для артиста. Вот и я изображаю фею Вихрь. Моя задача — пробежать три круга по огромной арене Дворца спорта в начале представления. И три круга в конце. Бежать приходится между настоящими лошадью и верблюдом. А в день — три представления. К третьему я уже не бегу полные круги, а потихоньку ускользаю в боковые выходы, за кулисы. Прихожу домой — тут же звонок в дверь. На пороге — дедушкина жена Ольга Александровна. Говорит, соседи жалуются: Дунька без нас весь день выла. Всех измучила. Дунька же тем временем бесцеремонно улеглась у нас на диване, где уже дремала Чебка. И — о чудо! — Чебка не шелохнулась. Дунька, видимо, зауважала кошку, и к вечеру та уже лежала чуть ли не на собаке.

Оставили Дуньку ночевать. Утром снова разбежались по делам. Вечером вернулись домой — звонят соседи: «У вас собака весь день воет!» Позже зашел дедушка, и мы устроили семейный совет: надо было решить, оставлять Дуньку у себя или пристраивать в хорошие руки. Слово взял дед: «Если вы оставите эту собаку у себя, она будет вам самым лучшим на свете другом!»

Дунька во время нашего «собрания» сидела поодаль и грустила. А после слов деда весело завиляла хвостом, будто поняла, что обрела на долгие годы семью. Володя пообещал отвозить нас с Дунькой на мои «елки» на машине, чтобы она не выла в одиночестве. Мама взялась кормить и гулять с ней, а дедушка — регулярно чесать ее за ухом. Так Дунька у нас и осталась. Вскоре из седой она стала черной и выть перестала — нервы успокоились. Только на груди осталось одно белое пятнышко. Дедушка сказал, что для черного пуделя это считается браком. Может, из-за это-

Роза в «Маленьком принце»

В театре «Сфера» в роли мадам Чейзен

Дунька

го и выгнали ее на улицу злые люди. Как-то у мужа спросили во дворе: «А какой породы ваша собака?» Володя покраснел и ответил: «Испорченный пудель...» Мы с мамой обиделись за нашу любимицу. Мама вызвала собачьего парикмахера, и Дуньке сделали настоящую «пуделиную» прическу. И все вопросы сразу прекратились.

А дед оказался прав: о лучшем друге мы и мечтать не могли. Дуне позволялось все. Она спала то со мной, то с мамой. И не просто так, а на боку и под одеялом, и голова на подушке. Она обожала всех и вся. В нашем доме часто появлялись другие животные, спасенные мамой. У мамы был особый дар пристраивать брошеных четвероногих. Об этом знал весь дом, и к нам тащили всех бездомных. Помню, иду на работу зимой, а в проходном дворе на люке сидят два щенка. Наша соседка их кормит, увидела меня и говорит: «Катя, скажи маме, может, она их пристроит».

А я только и мечтаю, чтобы мама не узнала про щенят, у нас дома уже три кота и Дунька, а мама много работает и очень устает. Про себя радуюсь: не узнает мама про этих щенков, она из театра другой дорогой ходит.

Вечером прихожу со спектакля (я в то время была актрисой театра «Сфера»), а в нашей ванной мама с подругой трудятся — «стирают» щенка (все-таки пошла мама тем самым проходным двором!)

— Катя, — говорят, — вот этого мы поймали, а второго без тебя не можем.

Все вместе пошли ловить второго. Ночью, в самом центре Москвы. Нашли, поймали, отмыли и сели думать, к кому их пристроить. Дунька уже весело играла с гостями, а те ели из всех мисок — собачьих и кошачьих. Пристроили обоих. Дунька очень огорчилась, что малыши нас так быстро покинули. Но ее утешили три наши кошки — они улеглись на нее тремя мягкими кружочками и замурлыкали.

Дунька обожала машину. Всю дорогу смотрела в окно. Впрыгивала и выпрыгивала из салона первой — боялась, чтобы не забыли. Мы часто ездили за грибами — мама, Володя, Дунька и я.

Володя грибы собирать не любил. Ходил с нами от поляны к поляне и, пока мы обирали грибное место, сидел на пне и читал газету. А Дунька, видно, боясь, что мы потеряемся, бегала от мамы ко мне, от меня к маме, а затем к Вовкиному пню. Так она «нарезала» круги бесконечное количество раз. И мы все пытались просчитать, сколько же километров она за день пробежала. Вообще бегала она на удивление быстро, быстрей всех собак в нашем дворе. Еще она умела давать лапу и считать. Я держала над ней кусок колбасы и говорила: «Корень квадратный из четырех!» Дунька смотрела на колбасу и отвечала: «Гав, гав...» — тут же к ней летел розовый кусочек — и ответ получался правильный. Как ни странно, многие зрители покупались на этот нехитрый фокус. А еще Дунька умела утешать. Когда мне было плохо и я плакала, она ложилась ко мне на кровать, слизывала слезы с моего лица, всячески давала понять, что я не одна, что меня любят. Дедушка как-то сказал, что если Дунька заговорит, то он не удивится.

Кошка Чебка.
Это она приняла Дуньку в дом

Мама со щенком из подворотни

Когда мы с Володей разводились, он всерьез задал вопрос: «Как будем делить Дуньку?» Но мне повезло — в свое время нашу собаку зарегистрировали по месту прописки. В документе черным по белому было написано: сука Дуня Образцова. Так Владимир Боришанский оказался ни при чем.

Однажды произошло событие, за которое мне до сих пор очень стыдно.

Дело в том, что мы с мамой очень много работали, и отпуска у нас совпадали крайне редко. А тут совпали, и я уговорила маму поехать отдыхать вместе. А с кем оставить Дуньку? Одна знакомая знакомых брала собак «на передержку», пока хозяева в отъезде. Я вновь уговорила маму. Дуньку отдали на двадцать четыре дня. Помню, как ехали назад домой без нее, молчали. Мама очень переживала, думаю, если бы не я, она такого бы никогда не сделала.

Вернулись из отпуска — сразу за Дунькой. И выходит к нам собака — снова вся седая. Мама плакала, говорила, что мы Дуньку предали.

Мне было стыдно, а Дунька была счастлива, что вернулась домой, и вскоре почернела и снова стала черным пуделем. После этого мы

Серый кот, прозванный дедушкой Шаляпиным
за громкое урчание

с ней не расставались. И в следующий раз взяли путевки в наш театральный дом творчества «Щелыково» — туда разрешалось приезжать с животными.

В мае 92-го года не стало дедушки. Дом сиротел. Над нами с мамой нависла огромная тяжесть. Мы как-то зажались, замолчали. В квартире лежала больная бабушка Лиза, мамина свекровь, которую мама обожала, даже разойдясь с отцом. За три года до этого не стало моего отца, замечательного художника Михаила Васильевича Артемьева. Жил он не с нами, и мы с мамой не решались сказать бабушке о смерти сына. Глупо, наверное, но бабушка очень плохо себя чувствовала, и мы просто не могли решиться. По-дурацки врали, передавали приветы… Сейчас я думаю, что бабушка все прекрасно понимала и подыгрывала нам — тоже жалела. Мама ухаживала за свекровью, как ухаживают за родной матерью, она так и звала ее: мама. Очень многое они пережили вместе. Когда родители разошлись, бабушка осталась жить с нами, надо было меня воспитывать. Денег не хватало, и мама работала с утра до ночи, а бабушка сидела со мной. Единственное условие, которое поставила бабушка маме: как только у тебя появится другой человек, я уйду. Очень тяжелым грузом оказалось для мамы это решение свекрови... А я узнала обо всем гораздо позже. Отец меня обожал, приходил практически каждый день, я и о разводе родителей узнала много лет спустя.

Так вот тогда, в 92-м году, было у нас с мамой на душе очень плохо. У Дуньки, видимо, тоже. Когда ее выводили гулять, она первым делом подходила к дедушкиной двери и скреблась в нее. Мы с мамой не любили заходить в опустевшую квартиру, но если было надо, заходили вдвоем, благо на одной лестничной площадке. Как только дверь распахивалась, в квартиру влетала Дунька и три наших кота. Дунька бегала по всем комнатам и искала деда, коты прятались под кровати, и «выскребали» мы их оттуда с большим трудом.

Так продолжалось до пятого июля, первого дня рождения дедушки без дедушки. У нас собралось много родственников и друзей.

От воспоминаний стало еще грустнее. Когда все разошлись, мама стала мыть посуду, а я пошла выгулять Дуню на ночь. Мы ходили с ней взад-вперед по нашей улице, и вдруг я увидела на небе нечто необычное. Мы с Дунькой остановились, она села на асфальт и тоже подняла голову к небу. А там появилось какое-то световое пятно. Вскоре из него «вышли» круглые пятна поменьше. Большое растворилось, а маленькие стали весело перемещаться, как будто играли. Застыв, мы наблюдали за этой игрой, пока не услышали голос мамы: «Куда вы подевались?» Она подошла к нам и тоже посмотрела на небо. Не знаю, сколько мы так простояли. Потом вновь появилась большое, оно, как расшалившихся детей, собрало маленькие шарики вокруг себя. Некоторое время они еще покружили, затем слились с большим и растворились в нем. Потом все исчезло. А мы все стояли, задрав головы, — я, мама и Дунька. Самое странное, что мимо нас проходили люди, хлопали двери машин и подъезда. Но никто ничего не видел, не задерживался около нас, да и мы никого не окликали, не показывали руками. Удивительно, что и Дуня не шелохнулась, так и сидела, задрав голову. Будто это зрелище только для нас троих специально и предназначалось.

ГАСТРОЛИ

Моя мама Наталия Сергеевна Образцова не сразу поступила в театр к дедушке. После окончания ГИТИСа дед сказал ей: «Сначала стань настоящей актрисой, а потом придешь к нам на художественный совет». И мама пошла в Московский театр кукол, что на Спартаковской улице. Там она стала играть все главные роли, и через несколько лет ее приняли в театр Образцова.

С тех пор над моим счастливым детством нависло это самое слово — «гастроли». Слово это означало либо радость — если меня на гастроли

Мама плывет в Японию

брали с собой, и слезы — если меня на гастроли не брали. Я рыдала навзрыд, не отпуская никуда маму, и тогда возникало другое слово — «Кабинет». Оно высушивало слезы и смиряло с разлукой.

«Кабинет» — это набор шоколадных конфет. Теперь уже такого нет. Огромная коробка с ящичками, и в каждом ящичке свой сорт шоколада. Вот этот «Кабинет» и спасал вконец изведенную маму. Удовольствие это было дорогое. Думаю, мама занимала деньги (мы жили в основном на ее маленькую актерскую зарплату да на подработку на телевидении, но все же меня она ухитрялась баловать и ни в чем мне не отказывала).

Но если не было «Кабинета», значит, я ехала с мамой, а это было куда лучше.

Первый мой выезд на гастроли состоялся, когда мне было семь лет. Начинался месяц май, занятия в школе еще не закончились. Мама взяла специальную справку, и меня отпустили до начала официальных каникул. А мой день рождения пришлось отпраздновать заранее. Поскольку 19 мая (настоящий день рождения) я должна была быть с театром в Ленинграде, мои одноклассники пришли меня поздравить накануне отъезда. Подарок одного из них хранится у меня до сих пор — Коля Маслов подарил мне книжку стихов Агнии Барто, а на первой страничке написал свое стихотворное поздравление. Выглядело оно в оригинале так:

Учися Катя хорошенько,
Хотя ученье и трудно.
Но после будет веселенько,
Когда окончится оно.

Думаю, Коля не сам сочинил этот опус, наверняка кто-то из взрослых ему помогал. Но что правда, то правда — училась я всегда «хорошенько». С этим проблем не было.

И вот мы в Ленинграде. Никогда еще я не уезжала так далеко от Москвы. Первый раз живу в гостинице, называется она «Октябрьская» и находится напротив Московского вокзала. В номере нас четверо. С мамой поселили тетю Свету Шеповалову, а она тоже взяла с собой дочку. Машка на год меня младше, мы с ней даже похожи — обе русопятые и толстенькие. В номере всего две кровати. Мы спим вместе с мамами. Я и Машка у стенки, а мамы по краям. Поскольку мы девушки крупные, то мамы то и дело сваливаются с кровати, не высыпаются. Правда, у них есть цель, оправдывающая все эти неудобства, — показать нам с Машкой все музеи, мосты, белые ночи, загородные дворцы и так далее. Программа очень плотная, а им еще спектакли играть надо. Мамам выдали суточные, и они водят нас обедать в разные кафе. Мы с Машкой даже не смотрим в меню, и на вопрос: «Девочки, что вы хотите?» — я всегда отвечаю: «Шашлык», а Машка: «Свиную отбивную». А себе мамы берут только суп. Больше ничего не хотят. Это я потом поняла, что им приходилось экономить. А нам с Машкой, пожалуй, больше нравятся кафе, чем музеи. Правда, один я полюбила очень — Русский музей. Там выставлен мой любимый художник Куинджи, мы его с папой в Третьяковке видели. Папа говорит, что у Куинджи в первую очередь надо смотреть на освещение. И действительно, его картины так и светятся необычным, потаенным светом. И еще папа говорит, что Куинджи первым придумал этот эффект.

После очередного культурного похода мамы идут играть спектакль, а нас запирают в номере гостиницы, чтобы мы отдохнули.

Мы с Машей в Петергофе

Но кто же станет отдыхать, когда кругом столько интересного? Только вот выйти мы не можем: ключ мамы унесли с собой.

Нам становиться очень скучно. «Давай поиграем в куколок на веревочке», — предлагаю я. «Это как?» — спрашивает Машка.

Я беру двух маленьких пластмассовых пупсиков, которых накануне нам купили на Староневском проспекте (мамы ходили туда в «Хозяйственный» покупать посуду — в Москве таких эмалированных мисочек днем с огнем не сыщешь), и привязываю к ним обыкновенные нитки. Игра заключается в том, чтобы спускать пупсиков из окна — кто ниже спустит. Машку игра заинтересовала. Мы распахнули окно четвертого этажа и бросили вниз куколок. Моя повисла на ниточке, а Машкина со-

Труппа театра на гастролях в Томске

Виталий Соломин, Дмитрий Назаров, Наталия Красноярская и я на гастролях в Алма-Ате

рвалась и упала. А главное, не видно — куда. Очень темные в Ленинграде дворы-колодцы. Мы из окна свесились, пытаемся разглядеть. Тут под окном стали люди собираться. Мы кричим: «Пупсик! Наш пупсик упал!» А они головы задрали и на нас смотрят. Но вот в толпе появились мама с тетей Светой, со спектакля идут. Тоже головы задрали — и бегом к входу. Дверь открыли, нас с окна стащили, а Машка рыдает, требует найти пупса. Тетя Света назад вниз побежала. А я, посмотрев на маму, тоже на всякий случай начала рыдать, чтобы избежать кары. Тетя Света вернулась со злосчастной куклой. Слезы нас не спасли, нас отругали, грозились отослать в Москву. Но на самом деле наши мамы были очень рады, что мы живы и здоровы, что нас не постигла участь Машкиного пупсика и мы не выпали из окна.

Дедушка и Зиновий Гердт
решили перекусить во время гастрольных переездов

19 мая, в мой день рождения, в Ленинград с сольными концертами приехал дедушка. Он повел нас всех в ресторан «Норд» отмечать праздник. Мы в первый раз попали в такое шикарное место. Дедушка сделал заказ. Мы с Машкой и тут себе не изменили: шашлык и свиная отбивная. Час проходит — не несут, второй пошел — не несут. Обслуживают иностранцев. Рядом за столом сидит какой-то пьяный человек, все в нашу сторону поглядывает. Явно узнал дедушку. А потом как закричит на весь зал: «Что ж это делается? Каких-то финнов обслуживают, а своих героев — нет! Ведь это же Образцов!»

Дедушка почему-то смутился и сказал нам: «Знаете, что? Пошли отсюда, а то очень есть хочется». И мы пошли в «Блинную» на Невском. Так и не поужинали в шикарном ресторане «Норд». Но блинчики нам тоже очень понравились.

Пришла пора нам с Машкой уезжать из Ленинграда. Мамы еще остаются, а нас отсылают с зав. литературной частью на поезде в Москву. На последнем спектакле обнимаю кукол и плачу. Но ехать надо, на даче нас ждут бабушки. А еще мама говорит, что если сейчас на дачу не поехать, то в моей любимой березовой роще отцветут ландыши. Нет, ехать надо.

Много лет спустя мама рассказала мне, как, посадив нас на поезд, они с тетей Светой вернулись в номер гостиницы «Октябрьская», растянулись одни на своих кроватях и наконец спокойно выспались. Заглянули утром в кошельки, а там пусто — все на нас истратили: на музеи, шашлыки и свиные отбивные.

ЗАГРАНИЦА

Театр Образцова часто выезжал за границу на гастроли. Но тогда, в семидесятые годы, это была особая процедура. У дедушки в театре работали две группы актеров, и ездили они за границу строго по очереди: одна уезжает, другая играет в Москве, и наоборот. И внутри каждой группы актеры также ездят по очереди. Но очередь до тебя может и вовсе не дойти, если ты нарушил трудовую дисциплину. Опоздал на спектакль — не едешь, напился — не едешь, ругаешься матом — тоже не едешь.

Я еще училась в школе, когда мама поехала в первую свою поездку. И сразу в Париж. Телефон у нас дома разрывался. Те, кого не взяли, жаловались маме и просили ее уговорить дедушку взять их, хотя и знали, что на него «давить» бесполезно. Но маму все мучили и мучили...

Когда группа была окончательно сформирована, начинался следующий этап испытаний — собеседование в райкоме партии. Все выезжающие актеры, и молодые, и старые, как школьники заучивали общественно-политическое устройство, законы и обычаи страны, куда предстояло выехать на гастроли. Я проверяла знания мамы по десять раз в день, хотя предугадать вопросы коварных членов комиссии было невозможно. У маминых подруг от невыносимых зубрежек случались нервные срывы.

Гастроли театра Образцова в Индии

Но на этом «круги ада» не кончались. Потом надо было сдавать анализы. И тут наступал мой черед: все боялись — вдруг чего обнаружат и не пустят, а я еще ребенок — у меня анализы безупречные. С утра, натощак, я писала в три-четыре баночки. Одна доставалась маме, а другие получали ее подруги. Кроме того, надо было пройти еще психоневрологический и венерический диспансеры. Венерический диспансер в те советские времена всем казался делом весьма стыдным. Помню, как я сопровождала туда маму. Много смущенных людей стояло в длинной очереди. А если вдруг кто-то встречал знакомого, тут же вскакивал и быстро говорил: «Не подумайте чего, это я просто для заграницы проверяюсь».

Бывало, что до анализов дело так и не доходило. Некоторых «зарубали» заседающие в райкомовских комиссиях старые большевики. Создавалось впечатление, что каждый такой экзаменатор досконально штудировал какой-нибудь один вопрос и «добивал» им не глянувшегося ему артиста. Так вот, когда кто-то не проходил собеседования, в райком отправлялся дедушка. Он надевал все свои награды и шел доказывать, что именно этот работник театра необходим ему в поездке, что он берет этого нерадивого, не знающего, в каких отношениях находится Советский Союз с Перу или кто является секретарем компартии Никарагуа, артиста под свою личную ответственность. И только тогда в личном деле неудачника появлялось заветное: «морально устойчив, политически грамотен».

После того как все эти «ужасы» оставались позади, начинались хозяйственные хлопоты. Теперь надо было закупить еды на месяц-полтора, в зависимости от продолжительности гастролей. Известно, что за границей артистам платят валютой. Получать ее можно, а ввозить на Родину — нет. На полученные деньги одевали себя, своих родственников и друзей. Сделать это было возможно лишь при жестокой экономии на питании. Отсюда и чемодан с консервами. Артист театра, не выдержавший однажды жизни впроголодь, потом так каялся в письме к жене: «Дорогая, прости, я съел отбивную. А это — твоя кофточка, правда, без рукавов».

Мы с мамой тоже закупали продукты. В обязательный набор входило:

1. Сыр «Виола» (его надо было еще достать).

2. Шпроты.

3. Сайра.

4. Ветчина в банке.

5. Несколько батонов сырокопченой колбасы, которую можно было купить только по «блату». Один бывалый актер измерял колбасу в сантиметрах — сколько имеет права съесть в день, чтобы хватило до конца гастролей.

6. Сухое печенье, галеты.

7. Чай, кофе.

Словом, все, что не портится.

Ну и конечно — кипятильники и железные кружки, чтобы гостиничный стакан не лопнул. Но вилка отечественного кипятильника не подходила к западным розеткам. И тут за дело брались театральные осветители — они налаживали эту нехитрую аппаратуру всем артистам.

Сергей Образцов:
«Во всем мире девочки прыгают через веревочку одинаково».
Фото дедушки в Гайд-парке

Следующий этап — составление списка покупок. Делалась подробная опись вещей для друзей и родных с указанием размеров одежды и обуви. Если просили обувь, то привозили рисунок обведенной карандашом стопы.

До сих пор у меня хранятся эти длиннющие шпаргалки, первое место в них занимает моя персона: Кате — шубку, курточку, ветровку, кофточку, юбочку, сапоги, туфельки и т. д., и т. п.

А дальше еще человек двадцать пять.

Если же в поездку ехал дедушка, мама помогала составлять списки и ему.

Дед говорил, что самое обидное, когда привезешь кому-нибудь зелененькую кофточку в подарок, а тебе говорят: «Спасибо вам большое. А синеньких не было?»

Прямо в день приезда из-за границы мы накрывали дома стол. Мама просила обязательно нажарить картошечки — на шпроты и на сыр «Виола» глаза уже не смотрели. Собирались родственники, и все ждали своих подарков. И не потому, что жадные, а просто в Москве тогда купить что-либо было сложно.

Конечно же, наши гастролеры портили себе за границей желудки ради вот таких семейных праздников. И еще ради того, чтобы хоть некоторое время не жить от зарплаты до зарплаты — ведь теперь дома все обуты и одеты... Да что греха таить, и для «тети Маши» (на продажу) тоже кое-что было привезено.

Дед, конечно, не возил с собой чемоданов с едой. Он вообще никогда не экономил и не собирал на сберкнижку. Если вместе с ним на гастролях была мама, то он входил в номер, где та жила с какой-нибудь актрисой, и говорил: «Что, опять сгущенку в унитазе разводите? Собирайтесь, приглашаю обеих на ужин».

Биг-Бен. Фото Сергея Образцова

Конечно, в поездки стремились не только из-за материальных благ. В то время это была единственная возможность повидать мир. Да и ездили тогда всего несколько московских коллективов: Большой театр, ансамбль Моисеева, ансамбль «Березка», Театр кукол под руководством Образцова, Госцирк и некоторые другие коллективы.

Когда я выросла, я тоже стала много путешествовать. Я поставила один из первых в стране антрепризных спектаклей «Клетка». В ролях — замечательные артисты Виталий Соломин, Дмитрий Назаров, Наталия Красноярская. С каким удовольствием и гордостью я стала привозить из поездок подарки друзьям и знакомым. А главное — маме и дедушке! Я ездила по миру, вспоминая и переживая заново их впечатления от этих стран, узнавая каждую страну по их отзывам и фотографиям. Мама говорила: «Париж — дело рук человека, а Камчатка — дело рук Господа». Я побывала в Париже, потом на Камчатке. Поняла — лучше, чем мама, не скажешь. В Голландии

Образцов-фотограф

Дедушка веселит артистов во время переезда между городами

я ела на рынке селедочку именно так, как учил меня дедушка: берешь ее за хвостик и опускаешь в рот. В Вене, по совету мамы («Катя, не пожалей денег!»), на улице за столиком пила кофе с пирожными, глазела по сторонам и чувствовала себя своей в этом городе, раз могу позволить себе сидеть в кафе, а не жевать колбасу в номере отеля. Ходила по Лондону, держа в руках дедушкину книжку «Что я увидел и понял, побывав в Лондоне». Она была моим путеводителем. Когда в Тауэре я спросила у служителя музея: «А где тут у вас подземный ход?», страж выпучил на меня глаза и спросил, конечно, на чисто английском: «Что?.. А откуда вы знаете? Об этом нигде не написано... Правда, там теперь правительственные гаражи... но откуда вы это знаете?»

— Вот, — говорю — откуда! — и гордо тычу в дедушкину книжку.

Все, что я видела, я уже знала по рассказам деда и мамы. Дед открыл для меня Сальвадора Дали, мама привезла альбом Магритта (в Москве тогда этого и в помине не было), не говоря уже об импрессионистах,

Босхе, итальянцах, голландцах. Все мои друзья приходили смотреть эти замечательные альбомы. До сих пор у меня хранятся коробочки со слайдами и фотографиями, сделанными мамой. Все они аккуратно подписаны: Япония, Австрия, Голландия, Мексика, Франция...

Вот уже нет ни деда, ни мамы. Я работаю в театре Образцова. Театр продолжает ездить на гастроли. В основном, конечно, с феноменальным спектаклем деда «Необыкновенный концерт» — этот спектакль даже занесен в Книгу рекордов Гиннесса по рекорду посещаемости.

И каждый раз в каждой стране, отмечая свой успех, артисты театра произносят один и тот же тост: «Мы — счастливые люди. У нас есть возможность видеть мир! Спасибо вам, Сергей Владимирович!» И пьют стоя, не чокаясь.

ЛОСКУТНОЕ ОДЕЯЛО

В этом году выдалась потрясающая зима. Настоящая снежная, морозная, как в детстве. Я смотрю на искрящийся снег и слышу мамин голос: «Котенок, посмотри, как красиво!»

Мы сидим дома и клеим макет к сказке Бажова «Серебряное копытце» — это школьное задание. Мама намазывает клей на белоснежную вату, а сверху кладет разноцветные блестки — вот и готов искрящийся снег.

А теперь уже которая зима без мамы.

Из сугробов торчат засохшие травинки и кустики. Мама учила меня собирать из них красивые букеты. Мы ходили на долгие прогулки по подмосковной Рузе, мама пела:

Ты лети, лети ле — телеграмма
Ты лети, лети ле — к папе прямо
Ты скажи ему, что дочка родилася
Да родилася, да родилася
Ты скажи ему, что Катей назвалася
Да назвалася, да назвалася...

Моя бабушка
Софья Семеновна Образцова.
Я видела ее только на фотографиях

По-настоящему в песне — «Машей назвалася», но для меня мама поет — Катей.

Мама родилась 27 июня 1928 года. А может быть, 26 июня, никто точно сказать не может. Дело в том, что у моей бабушки, Софьи Семеновны Образцовой, началось послеродовое заражение крови, и все занимались ее спасением, поэтому маму не сразу зарегистрировали в загсе. Спасти бабушку не удалось — пенициллина тогда не было. Мама родилась восьмимесячной, бледной и худенькой. (Мой дед, мамин отец, называл ее «интеллигенткой».) Но маленькую маму тоже надо было спасать. Ее взяли к себе дедушка с бабушкой. Кто-то научил мамину бабушку Анну Ивановну Образцову положить грудную маму между рамами окна. Там, оказывается, образуется особенно полезный воздух. А еще сказали давать ей по капельке кагора. Так маму и выходили. И росла она в основном с бабушкой и дедушкой, которых очень любила, но все же росла без мамы. И поэтому она всегда мечтала о дочке, хотела, чтобы у ее дочери, то есть у меня, все было по-другому. И стала лучшей мамой на свете.

Сейчас, когда мамы нет, мне почему-то вдруг стало больно думать о ее детстве, о том, что она никогда не знала той единственной материн-

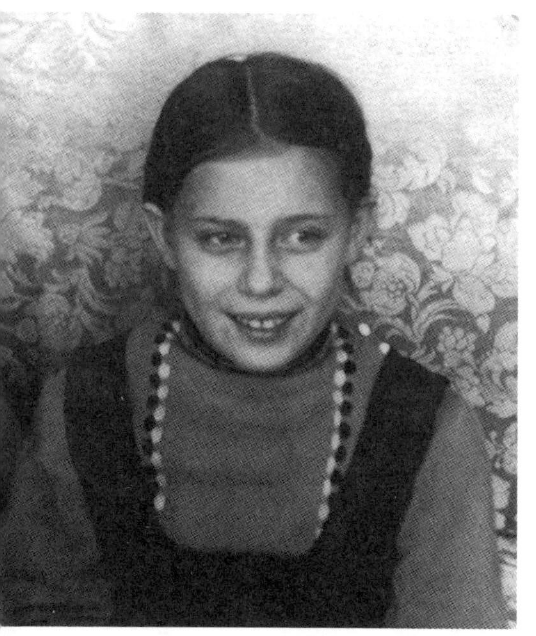

ской любви, которой так беззаветно одарила меня. Я живу в ее доме, меня окружают ее вещи. Да все, что у меня есть, — ее. И лес, и море, и зима, и лето — все я впервые увидела с мамой. И не просто увидела, а поняла и ощутила благодаря ей. В моих мыслях и чувствах постоянно живут ее улыбка, ее слова, ее любовь...

Когда я была маленькая, я присмотрела на кухне старый ржавый ножик и решила, что если мамы не станет, то я себя им убью. По ночам вставала, прислушивалась к маминому дыханию. Такие вот детские страхи. Через некоторое время я обнаружила, что ножик исчез. Спросила у мамы. А она сказала, что его давно выбросили. Так я забыла о самоубийстве. Вот ведь — живу же я сейчас, когда мамы уже нет. Но тысячи кусочков моей памяти ежечасно напоминают: «Все, что вокруг тебя, — это она, без нее нет, и не могло быть тебя, ты соткана из нее, как лоскутное одеяло».

Берусь за сигарету и улыбаюсь. Передо мной возникает дед: «Катя, что тебе подарить, чтобы ты бросила курить?»

Отвечаю: «Машину». И сразу хитрое: «Кури!» Так легализовалось мое курение. Ежедневно в театре передо мной портреты мамы и деда. Я сверяю с ними свои поступки, рассказываю об ошибках, прошу прощения, жду ответов на мучающие меня вопросы. Подолгу стою около них. Когда меня замечают билетерши, смущаюсь и ухожу.

Бабушка Елизавета Ивановна Борисова в сытинской типографии

В 27 лет дед остался вдовцом с двумя детьми. Он очень любил свою первую жену, мою бабушку. Почему-то часто вспоминал ее руки с чуть кривыми мизинчиками (такие же у мамы и у меня). Вспоминал, как однажды проснулся: «А Соня ест. В комнате никого, а она ест так красиво, как будто на приеме». Потом дедушка женился еще раз, но по его коротким репликам я понимала, что в нем все еще живет его первая любовь. Когда деда не стало, в створке его бюро я обнаружила бабушкин портрет. Значит, каждый день, когда он садился работать, она была с ним.

Мой отец. А я еще не родилась

С кем бы я ни беседовала, я непроизвольно говорю: а дедушка считал так, а дедушка думал так, а это он любил, а это — нет.

И все это — тоже кусочки моего лоскутного одеяла.

Еду в метро. Перед глазами снова цветные лоскутки воспоминаний. Мне четыре года. Я первый раз на эскалаторе, еду куда-то с бабушкой Лизой, мамой моего отца. Мне страшно на этой лестнице-чудеснице. Я воплю во все горло: «Люди добрые! Помогите!» Народ оборачивается. Бабушка смущается. Берет меня на руки, успокаивает. Она всегда рядом со мной. Ведь мама и папа — на работе.

Как-то, когда я уже училась, прихожу из школы домой, а бабушка лежит на кровати и стонет. Оказывается — она упала, и у нее очень болит рука. Но «Скорую» вызывать запрещает. Возвращается мама из театра и видит такую картину: я сижу рядом с бабушкой и изучаю поваренную книгу: ведь как теперь бабушке готовить с больной рукой? Мама вызывает «Скорую». У бабушки оказался двойной перелом, но она терпела до прихода мамы, боялась меня напугать.

Летом мы с бабушкой живем на даче у тети Кати Еланской, маминой подруги. Я встаю рано, в шесть утра, и бабушка ведет меня гулять в березовую рощу, чтобы я не разбудила весь дом. Я очень шумная и драчливая. Дружу с мальчишками, а в куклы играю тайком. В Москве, когда меня выпускают во двор, обязательно кто-нибудь прибегает к бабушке и говорит: «Заберите вашу Катю, она дерется!» Бабушка забирает меня, но не ругает, потому что очень сильно любит. Она просто замазывает мне жгучим йодом драные коленки и садится проверять мои задания по русскому языку. Бабушка абсолютно грамотна — она была корректором в сытинской типографии.

Бабушка Лиза молодая

Прабабушка
Анна Ивановна Образцова
в молодости

Иду по осеннему лесу — обожаю собирать грибы. Этому научил меня папа. С четырех лет я бродила с ним по лесу. Он показывал мне травы и деревья, где любят расти боровики, лисички, рыжики, опята... Со временем у меня выработался «нюх» на грибы. До сих пор никто из друзей не может перещеголять меня в этом искусстве. А еще мы ходили по лесу с этюдниками. Мой папа был художником. Это он подарил мне этюдники — сначала маленький, потом большой. Папа учит меня рисовать, и мне это очень нравится. Сам он очень много работает. Из отпуска привозит по сто эскизов, это значит — рисует по три в день! По воскресеньям мы с ним ходим в Пушкинский музей или в Третьяковку. С мамой они развелись, но дружат, и в доме никогда никаких скандалов не было. Папа любит меня истово и безумно преданно. Три своих первых спектакля я поставила вместе с ним. Я — режиссер, он — художник. И какой художник! У меня осталось много его работ. Ими увешаны все стены квартиры. Я раздариваю их друзьям, мне хочется, чтобы их видели люди. И старую Москву, и Судак, и Питер.

Папа родился в Москве 26 мая 1927 года в семье художника сытинской типографии, в коммуналке на Таганке. До папы у бабушки все время рождались. Рождались и умирали. А тут вдруг появился папа. Один. Семимесячный. Все думали, не выживет, и даже детской кроватки не купили. А папа выжил, и поселили его в ящике комода. С детства он хорошо рисовал и поступил на курсы к Образцову. Там они с мамой и познакомились.

Папа был человеком очень скромным. Его с трудом можно было заставить написать анкету на звание или на членство в Союзе художников, он постоянно был занят. Рисовал, а делать выставки ему было некогда. После его смерти мы с подругой подготовили несколько папиных персональных выставок. Сами окантовывали работы и даже шкурили стекло.

Вот она — папина «Старая Москва», смотрит сейчас на меня. Смотрит со стен маминой квартиры, что на одной лестничной площадке с музеем С. В. Образцова.

P. S. Моя мама очень любила лоскутные одеяла. Всегда восхищалась их простодушной красотой. Вот и я сейчас купила себе такое. В Суздале.

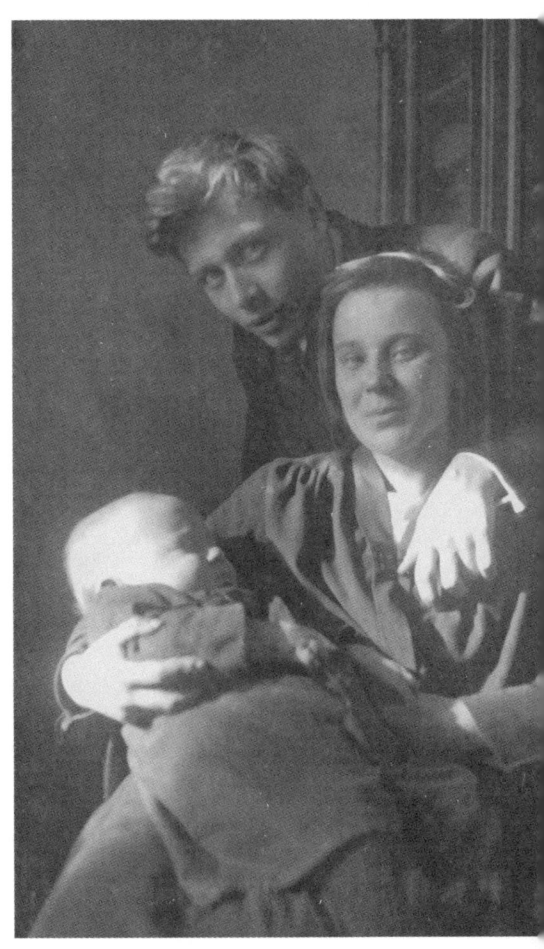

Дедушка с женой Соней
и сыном Алексеем

«КАК ХОРОШИ, КАК СВЕЖИ БЫЛИ РОЗЫ...»

На девяностолетие к деду съехалась уйма народа — кукольники России, дальнего и ближнего зарубежья. Вообще-то у деда день рождения пятого июля, но официально всегда отмечали в сентябре, в начале театрального сезона. К юбилею в театре готовилось грандиозное представление.

Наступило утро праздника. Мы с мамой подарили дедушке новый костюм. Костюм с белоснежной рубашкой торжественно висел в спальне... Но неожиданно деду стало плохо — диабетическая кома. Врачи увезли его в больницу на Грановского. Сказали, что к вечеру его привезут в театр, и праздник состоится. Зрители и гости ждали у театра до последнего, но дедушку врачи так и не отпустили. Поздно вечером разноязычные гости грустно сидели за столом в дедушкиной квартире. Вдруг зазвонил телефон.

«Вы что, водку без меня пьете?» — раздается в трубке дедушкин голос. Что тут началось! В коридор к телефону выстроилась очередь — каждый хотел поздравить деда с юбилеем и пожелать ему здоровья. Стояли англичане, американцы, французы, немцы, индианки в сари, миниатюрная японка Хироко-сан — его друзья и коллеги, кукольники всего мира. Этот телефонный разговор длился часа полтора. Бокалы чокались о телефонную трубку. Дедушка со всеми шутил, был весел, говорил, что пытался бежать из больницы, но врачи не отпустили. Когда все наговорились и очередь рассосалась, народ заметно повеселел, от души отлегло.

Через неделю дедушка вернулся на работу. В конце апреля в квартире появилось телевидение снимать о нем большую передачу. Ведущий — Святослав Бэлза. За накрытым столом собрались Геннадий Гладков, Василий Ливанов, Виталий Соломин, Борис Львович, дедушка, мама и я. Дедушка и Боря в две гитары исполняли романсы, Гладков играл на рояле. Все это перемежалось смешными историями, анекдотами, воспоминаниями. Вечер получился замечательный. Передача

Художник Николай Соколов, мама и дедушка в Кремлевской больнице

должна была выйти в эфир на днях. Но дедушка снова попал в больницу — диабет. На этот раз там вместе с ним вместе оказались его друзья, художники-карикатуристы Борис Ефимов и Николай Соколов (один из Кукрыниксов).

Мама каждый день навещала дедушку и, придя однажды, застала всех троих друзей вместе. Они хором пели «Боже, царя храни». Валяли дурака. Мама подыграла:

Дедушка принимает поздравления с днем рождения по телефону

— Что вы делаете? Вы же в Кремлевской больнице! А царский гимн поете! Нашли место! Вас же выгонят!

А дедушка все спрашивал, когда же передача выйдет в эфир. А она все не выходила и не выходила. Так и не дождался. Передача появилась девятого мая, с траурной рамкой вокруг дедушкиной фамилии...

«Как хороши, как свежи были розы...» — любил повторять дедушка последнее время...

Жизнь закончилась 8 мая 1992 года.

В стране очередной раз менялись деньги. Иногда даже выдавали какие-то сертификаты вместо наличных. Был дефицит всего. По телевизору показывали страшные кадры — родственникам покойных выдавали прах не в урнах, а в целлофановых пакетах. Урн не хватало. Не хватало и гробов. Для дедушки гроб изготовили столярные мастерские театра. Столяры денег не взяли, ведь это — для Хозяина. «Хозяин» — так с уважением называли его в театре.

Мы, родственники, для устройства поминок собрали все, что было. Помню, продала приятельнице какое-то платье и получила за него тот самый сертификат. Прибежала обменивать в сберкассу, а там говорят, что наличных нет. Не выдержала, разрыдалась. Пожалели, поменяли сертификат. Поехала с друзьями — Димой Назаровым и Наташей Красноярской — на рынок. Готовили и накрывали на стол артисты театра.

Проводить Сергея Владимировича пришло очень много народу. От театра тянулась огромная очередь. Это были его зрители. Родители несли детей на плечах. Не было только городского начальства. Это и простительно, положение в стране было не простое. Приехали на Новодевичье... Помню, какой-то незнакомый мальчик шел впереди всех и разбрасывал лепестки роз. По этим лепесткам и двинулась процессия.

«Как хороши, как свежи были розы...»

Позже на деньги театра установили на могиле дедушки памятник по проекту моего дяди — сына Сергея Владимировича Алексея.

После похорон моя мама сдала все дедушкины регалии в сейф театра. Там были и Золотая звезда Героя, и многочисленные ордена и медали. В частности — и орден Улыбки, учрежденный польскими детьми. Дедушка был первым кавалером этого ордена, чем очень гордился. Потом скончался бессменный директор театра Миклишанский, и стали часто меняться директора. Во время этой чехарды награды благополучно исчезли. И когда снимался фильм о дедушке «Рыцарь ордена Улыбки», то этот самый орден занимали у Вячеслава Котеночкина.

Но на этом беды не кончились. Надо было создавать Музей-квар-

Дедушка с гитарой.
О чем-то задумался...

тиру с уникальными коллекциями, которые собрал дед. Боже, с какими трудностями столкнулась моя мама на этом пути! Если бы не она, то этого музея никогда бы и не было. Конечно, для создания и сохранения мемориальной квартиры дедушки много сделал и Союз театральных деятелей, и сам театр, и Фонд Образцова, президентом которого я стала.

Сегодня Мемориальную квартиру С. Образцова посещают и школы, и детские дома, и различные деятели культуры, искусства, театра; здесь даже был создан спектакль по книге дедушки «Маленькие рассказы про животных». Но история на этом не закончилась. У музея эту квартиру могут отобрать даже сейчас. Уже много лет не могут решить вопрос, как перевести ее из жилого помещения в нежилое, хотя вся домашняя коллекция, находящаяся в Мемориальной квартире С. В. Образцова (Глинищевский переулок, д. 5/7), давно передана государству и зарегистрирована как музейное достояние России.

А сколько сил ушло у моего двоюродного брата архитектора Сергея Образцова на установление мемориальной доски на доме, где жил Сергей Владимирович! Фонд Образцова изготовил доску, денег у города никто не просил, и все равно ушли годы, чтобы добиться разрешения на ее установку. Мой брат Сергей, заручившись поддержкой префектуры, буквально своими руками устанавливал доску на доме.

Так же тяжело решалось дело и с установкой памятника деду у театра. Памятник был отлит еще в 2001 году, к 100-летию Сергея Владимировича. (Министерство культуры РФ в 2000 году провело конкурс на лучший проект памятника, где победил проект скульптора Белашова, который создал памятник по мотивам известной статуэтки Слонима. Эта фарфоровая статуэтка изображает дедушку с его знаменитой куклой Кармен.)

1 июня 2006 года.
Памятник Сергею Образцову у театра открыт!

Тогда еще были живы дети Сергея Владимировича — моя мама, Наталия Сергеевна, и мой дядя, Алексей Сергеевич. Теперь их уже нет, как, впрочем, нет и памятника у здания театра.

Дело в том, что первоначально проект установки был заказан архитектору А. Великанову (занимается этим Комитет по культуре города Москвы). Проект был малобюджетен, и дирекция театра с родственниками снова были готовы денег не просить, а оплатить установку сами.

Но, как только вышло распоряжение Правительства Москвы об установке памятника, малобюджетный проект архитектора Великанова был положен под сукно, и в недрах московского Комитета по культуре возник другой проект — дорогущий — другого архитектора. Однако такой проект уже не только театр, но и город потянуть не мог.

А время шло и шло. В сентябре 2005 года проходил 3-й международный фестиваль Образцова. Театр обратился к властям города с просьбой о временной установке памятника по малобюджетной схеме за свой счет, а когда у города будут деньги, вернуться к дорогостоящему проекту. Театр получил все согласования. Дело оставалось за Комитетом по культуре. Оттуда в театр прислали своего архитектора. Тот разрешил памятник ставить. Мы ликовали! Весь театр облетела радостная весть. Но радовались недолго. На следующее утро раздается звонок из Комитета по культуре:

— Архитектор против временной установки памятника, вы нарушаете авторское право.

— Как против? Он же вчера был у нас, и мы друг другу руки жали! Он — за!

А из трубки ответ:

— А сегодня он против!

В последнем интервью в той самой передаче с Бэлзой был вопрос:

— Сергей Владимирович, вы родились при царе, пережили революцию, войну, культ личности, и вот теперь — уже новое демократическое общество. Какое время вам кажется самым тяжелым?

— Самое тяжелое время сейчас, — ответил он и о чем-то глубоко задумался.

— Как хороши, как свежи были розы, — любил повторять дедушка.

Как-то я спросила его:

— А что дальше?

— А разве ты не знаешь?

> Как хороши, как свежи были розы,
> Моей страной мне брошенные в гроб...

P. S. Свершилось! Около театра поставлен очень удачный памятник Сергею Образцову.

Наталья и Сергей Образцовы. Лучшие друзья

Наталья и Сергей Образцовы в московской квартире

Поцелуй Бембика

На прогулке

С питомцами

Сквозь дачный аквариум

Поляна во Внукове

На эти фотографии даже смотреть страшно.
А дедушка, видимо, не боится

Левретка Бемби и сенбернар Барри на диване во Внукове

Этих котят нашла собака Дунька в коробке у подъезда.
Так котята и остались жить у Образцовых

Жаркая дискуссия с голубятниками

На Птичьем рынке

Читает какой-то важный документ

Образцов на даче. Пишет свою книгу «По ступенькам памяти»

Совмещает приятное с полезным

В этом сосуде, видимо, рыбки.
Их у Образцова было множество и в Москве, и на даче, и в театре

Работники мастерских театра пришли поздравить с днем рождения

На работе в день 87-летия

Работа над книгой «По ступенькам памяти» с фотографом театра Вадимом Шульцем и директором театрального музея Натальей Костровой

Вот такие шуточные объявления
иногда появлялись на двери кабинета в московской квартире

На фоне театральных афиш

Петр и Екатерина Образцовы

ПЕТР ОБРАЗЦОВ

СЕМЬЯ И ДРУЗЬЯ

КВАРТИРА И КЛАДБИЩЕ

До середины 60-х годов прошлого века мы жили в одной квартире. Мы — это моя прабабушка Анна Ивановна, тетя Наталья Сергеевна с мужем и дочкой Катей, папа с мамой и я. Первоначально квартира принадлежала прадеду Владимиру Николаевичу, это был кооператив еще 20-х годов преподавателей Московского института инженеров транспорта (МИИТ). Теперь институт называется, разумеется, университетом. Квартира Владимира Николаевича, профессора, академика и даже генерала, состояла из семи, кажется, комнат и выходила на два подъезда. После смерти В. Н. в 1949 году квартиру перегородили стеной, и у нас осталось пять комнат — на три фактически семьи. По тем временам — рай, тем более что все были родственниками. Из этой квартиры я пошел в школу № 341, сейчас в ней какой-то офис.

Тогда у школьников была форма, снабженная фуражкой с большим козырьком. В первом классе всех принимали в октябрята, во втором классе должны были принимать в пионеры, но меня не приняли из-за хулиганства. А октябренком я вообще не был по тем же причинам.

Всесоюзная перепись населения 1959 г.
Слева направо: Наталья Сергеевна Образцова, Катя Образцова, девушка-переписчица, Анна Ивановна Образцова, Галина Алексеевна Образцова (моя мама) и я

Впрочем, в 60-е годы и сам коммунизм начал хиреть. Так, в 61-м году родители меня разбудили глубокой ночью, и мы в окно наблюдали, как мужики сбивали с вывески института буквы «имени И. В. Сталина». Прадед был профессором в этом институте транспорта, после смерти В. Н. Образцова улицу назвали его именем, и, пока я там жил, мне все время приходилось краснеть, отвечая на вопрос о месте жительства (фамилия — Образцов. Адрес — улица Образцова, дом 12, квартира 11).

По улице ходил трамвай, рельсы не сняли до сих пор, а от посаженного братом С. В. тополя остался даже не пенек, а так, деревянное воспоминание. Рядом стоит дом, где в подвале жила моя бонна — да-да, у меня это было, гулявшая с маленьким барчуком и обучавшая его французскому языку.

С. В. переехал из нашего дома еще в 30-е годы, когда купил себе кооперативную квартиру на улице Немировича-Данченко. Когда-то его квартира казалась огромной, в ней аж три комнаты. Это первая и последняя квартира С. В., из нее он и уехал в больницу, где и умер на руках у дочери, моей тети Наташи, ночью, после длительной болезни — а на самом деле просто потому, что ему был уже 91 год. Мне той же ночью позвонила сестра Катя, но впервые заплакал я только недели через две в его квартире.

Дура-медсестра написала в справке о смерти «нифрит», хотя пишется — «нефрит», болезнь почек. Китайцы думали, что от этой болезни помогает камень нефрит, внешне часто похожий на человеческую почку, отсюда и термин. Дед никогда не жаловался на здоровье, много и хорошо ходил, а последнюю рюмку водки

Это я

выпил чуть ли не в день смерти. Умер он легко и, по всей видимости, не мучился. Впрочем, это именно «видимо» — а на самом деле нам не узнать.

Похороны были на Новодевичьем кладбище, как и положено Народному артисту СССР. Там в середине первой территории стоит гранитный плоский постамент, куда и поставили гроб. Военный духовой оркестр сыграл соответствующие реквиемы, в том числе любимого С. В. и всеми нами Альбинони. Памятник спроектировал отец, а вылепил скульптор Дима — бронзовая рука со знаменитым шариком на пальце.

В справочнике по Новодевичьему кладбищу целых пять Образцовых. Во-первых, дед. Во-вторых, прадед Владимир Николаевич, академик. В-третьих — тетя Наташа. А в-четвертых и в-пятых — папа и мой брат Сергей, поскольку являются авторами нескольких надгробных памятников посторонним начальникам. Папа умер в 2004 году, но похоронен на деревенском кладбище в Перхушково, рядом с его мамой — моей бабушкой Софьей Семеновной, которая умерла еще в 1928 году от сепсиса при родах папиной родной сестры Наташи, моей тети. Пенициллин Флеминг открыл только спустя год, в 1929-м, а широкое использование антибиотиков началось уже ближе к Второй мировой войне. Гранитную плиту на кладбище пытались украсть, но не вышло. Сергей заказал для папы точно такую же и тем же шрифтом написал на плите необходимые слова и числа.

Я с сестрой Катей

СЛУХИ И РОССКАЗНИ

Как и про всякого великого человека, про С. В. ходило множество самых разнообразных слухов. Причем часть из них рассказывали членам нашей семьи, не подозревая о причастности. Мне, например, в поезде на юг один военный описывал крокодила, который жил у С. В. на даче и однажды съел его собаку. Крокодил у С. В. действительно жил неко-

Мужчины Образцовы: Алексей Сергеевич, Сергей Владимирович, Сергей Алексеевич с сыном Алексеем и я

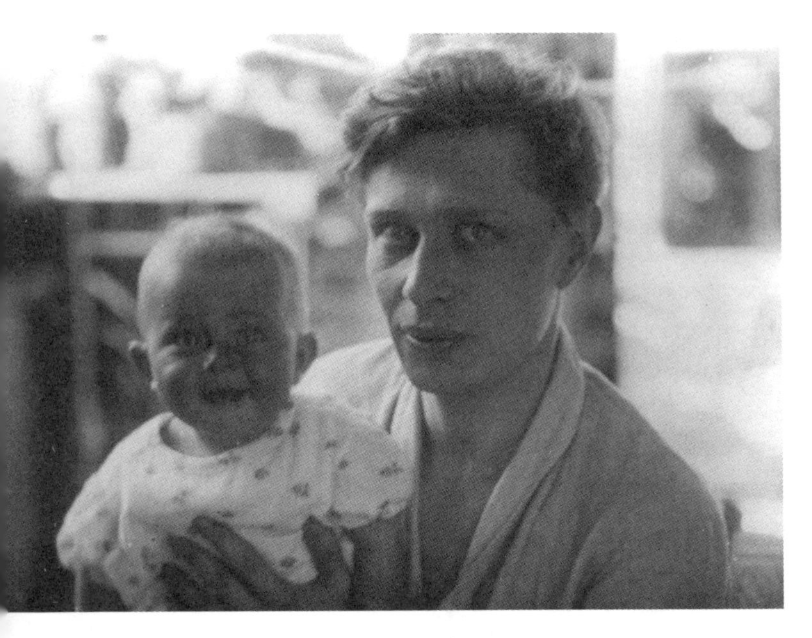

Сергей Владимирович с сыном Алексеем

торое время, но небольшой, в террариуме, и проглотить мог разве что крысу. Хотя и палец бы с удовольствием оттяпал. Когда крокодил достиг взрослого размера, около метра, его отдали в зоопарк. А собака Барри умерла от старости.

Истории про С. В. иногда носили тайно-политический оттенок. Так, после победоносной израильской войны с арабами в 1967 году и разрыва отношений СССР с Израилем стало абсолютно точно известно, что «Райкин, Быстрицкая и Образцов подарили Израилю по килограмму золота!». Будучи сам славянского происхождения, С. В. и вправду отличался нелюбовью к антисемитизму и даже прослыл юдофилом, однако кило золота у него не было, как, подозреваю, и у евреев Райкина и Быстрицкой. Я уж не говорю о том, что само словосочетание «килограмм золота» носило в советские годы просто мистический смысл. В те времена золотое свадебное колечко паршивой пробы стоило как две месячные зарплаты инженера, к тому же купить его было очень сложно — молодоженам, например, выдавали специальный пропуск в специальный магазин, торговавший кольцами и импортными костюмами только брачующимся. Поэтому богатые небрачующиеся покупали эти справки за две цены, так что стоимость золота доходила уже до заоблачных высот.

Сергей Владимирович со знаменитой куклой — конферансье Апломбовым

Только с падением коммунизма выяснилось, что ничего особенного в золоте нет. Сегодня, когда пишется эта глава, я зашел в магазин и спросил — сколько навскидку будет стоить обычное обручальное колечко, без камушков? Продавщица возвела очи горé и назвала сумму — от семи тысяч рублей! Другими словами, в сравнении даже с небольшой сегодняшней зарплатой того же инженера золото подешевело раз так в десять. Я уж не говорю о серебре, которое при Советах тоже считалось очень дорогим металлом, а сейчас один грамм серебра стоит дешевле билета в метро.

И если вернуться к килограмму золота, то мы увидим, что этот несчастный килограмм на самом деле эквивалентен 25 тысячам долларов. Разумеется, в советское время для советских граждан даже уровня народных артистов Райкина, Быстрицкой и Образцова это были немыслимые, фантастические деньги, но и тогда на эти три кило израильтяне могли купить разве что десяток автоматов.

Другая история — о родственниках. Большинство жителей страны были уверены, что знаменитая певица Елена Образцова — дочь С. В. Когда я в разговоре уже с другим соседом по купе попытался усомниться в родстве деда с незнакомой мне теткой, сосед уверял, что он лично чуть ли не держал свечку при зачатии певицы. И это при том, что первая жена С. В., моя бабушка Софья Семеновна, умерла при родах Натальи Сергеевны в 1928 году. Уже потом мне как-то С. В. рассказал, что познакомился с Еленой Образцовой даже не в СССР, а в Париже, и приветствовал ее фразой «здравствуйте, дочка», на что Образцова сразу же ответила — «здравствуйте, папа». Ее, разумеется, все также считали дочерью С. В.

Еще одна забавная история была совсем недавно напечатана в журнале «ТВ-Парк». Некий спортивный комментатор с птичьей фамилией Гусев (или Уткин? Перепелкин? Не помню точно) рассказывал, как он многократно жил на даче во Внуково, общался там со знаменитостями — Александровым, Образцовым и кем-то еще. И у Образцова на даче жил пони, на котором наш пернатый комментатор неоднократно катался. Вообще-то такое бывает. Немолодые люди часто путают реально бывшие события со своими снами, им искренне кажется, что все так и было. Но пони не было, честное слово.

КУРТКИ И ДЖИНСЫ

С. В. с театром очень много гастролировал за границей. И в те советские времена такие гастроли и были единственной возможностью для артистов Театра кукол заработать хоть на какое пристойное существование. Происходило это таким образом: в командировку — обычно на месяц-полтора — уезжали с двумя неподъемными чемоданами, заполненными консервами, которые разогревали в гостиницах на маленьких электроплитках (одну такую я украл для тети Наташи в школьном кабинете физики) или с помощью кипятильника. Если что из еды покупали за границей, то разве что хлеб. Не тратить же валюту на еду! Валюта тратилась на ширпотреб — колготки, пресловутые мохер и кримплен, которые продавались в Москве за хорошие деньги. Валюты, кстати, было совсем не-

Бахыт (Борька) Кенжеев

Бахыт Кенжеев и Люба Образцова

много, потому что 90 процентов требовалось отдать в закрома Родины, прямо в посольстве. Чтобы представить себе, сколько зарабатывали артисты театра, приведу пример.

Однажды во время гастролей по Западной Германии скрипач оркестра Театра кукол серьезно заболел, и его отправили на ту же нашу Родину, а заменить его было некем. Пришлось западному импресарио нанять местного немца, а немец, как вы понимаете, никому свой заработок не отдавал. Гастроли же проходили по куче немецких городов и городков, по два, а то и три спектакля в день, каждый раз в новом городе.

В результате вконец измочаленный немецкий Паганини (в таком режиме он раньше никогда не работал, да и немецкий профсоюз запретил бы такую эксплуатацию, так что все было тайно) получил такую кучу денег, что с ходу купил себе новый автомобиль. Не буду врать, что «Мерседес», но — «БМВ». А тетя Наташа привезла два чемодана мохера и подарков для всей нашей семьи.

С. В., конечно, мохером не интересовался, зато из каждой поездки он привозил нам разные предметы верхней и средней одежды. Когда мне было лет шесть, а было это в 1956 году, он привез мне нейлоновый зимний комбинезон с курткой, синий с красным искусственным воротником, и на меня оглядывались на улице. А некоторые тетки даже спрашивали меня про куртку — что, мол, это такое. Дело в том, что в те времена дети зимой ходили в таких коротких пальтишках с воротником из непонятного зверя, наверное, кошки какой-то. Крайне неудобная одежда для валяния в снегу и скатывания на попе с горки. А комбинезон потом носила сестра Катя, а за ней брат Сережа. Я не удивлюсь, если эту несносимую одёжу и сейчас кто-нибудь донашивает.

Много позже, уже в институте, я узнал от образованного Кенжеева, что настоящий человек должен ходить в джинсах. А я и не подозревал — стыд-то какой! — об их существовании, а ведь джинсы это самое главное. Я учился в простецкой школе, а Борька (он вернулся к паспортному Бахыт только после публикаций стихов) — в умной и элитной 20-й. Он объяснил мне, что джинсы должны быть «штатские», имея в виду США на их сленге. А я, дитя нищих кварталов Шелепихи и Мневников, натурально понял это слово в прямом значении и задумался — а какие же тогда «военные»? Эти чертовы джинсы мучили меня еще курса два, поскольку достать их было негде, а у фарцовщиков только за сто рублей — представляете, как я расстроился, увидев через год на старой фотографии самого себя, еще девятиклассника, в лучших джинсах «Ливайс» с кнопками! Дед-то привозил мне их из-за границы много раз, но откуда мне было знать, что эти штаны — те самые волшебные, открывающие все двери и сердца *джинсы*!

ПРАВОСЛАВИЕ

В бога С. В. не верил, во всяком случае, в православного или какого еще конфессионального бога. Он так и говорил, что странно и глупо в XX веке верить в ближневосточные сказки двухтысячелетней давности. При этом у него была коллекция икон — не слишком ценных, а просто нравящихся ему как профессиональному художнику (С. В. окончил ВХУТЕМАС по тому же курсу, что и Дейнека, Герасимов и еще кто-то из знаменитых советских художников). Впрочем, африканские маски, связанные

Сергей Владимирович, Наталья Сергеевна и Аня

с местными анимистическими и прочими культами, у него тоже висели в кабинете. Вот магометанского ничего не помню, разве что альбомы персидских и арабских миниатюр. Дом на Немировича-Данченко, где жил С. В., стоит на месте снесенной церкви имени какого-то святого, и после победы демократии на дом прилепили медную доску в память этого снесенного сооружения. Причем делали это дважды — первый раз на доске крест оказался неправильный, нижняя перекладина смотрела не туда. Пришлось доску заменить.

Мне лично кажется, что древность постройки не обязательно является основанием для восторга от ее архитектуры и необходимостью сохранения каменного сарая с крестом. А с православным христианством, точнее, с Русской православной церковью, у меня связаны несколько забавных историй. Сидим мы как-то с братом Сергеем в приемной владыки Льва в Великом Новгороде. Сергей строит в историческом городе «интуристовскую» гостиницу, а в таких случаях положено согласовывать с РПЦ — вокруг полно церквей, как бы какую не заслонить. Сидим, ждем. Секретарша в православном платочке и длинном старушечьем платье вышивает что большое, округлое и белоснежное. Ну, думаем, крыло ангела или еще чего божественное. Выходит сам владыка, вперед бородой, очень значительный и в очках. Девица вскакивает и демонстрирует рукоделие:

Профессор русской истории
Дональд Рейли

— Вроде получается, батюшка!

— Да, милая, подойдет.

Оказалось — чехлы на передние сиденья его белой «Волги».

Другой раз обращается Сергей к секретарше владыки, как, мол, ему официальное письмо писать. Она и говорит: да прямо вот так и пишите — на владыкино имя! На владыкино!

У С. В. в театре были и антирелигиозные, в сущности, спектакли — «Божественная комедия» и «Ноев ковчег». А на свое 80-летие он вышел на сцену с кощунственным нимбом, изготовленном из проволоки. И ничего, гром не грянул, земля не разверзлась. Хотя дом на Немировича-Данченко (теперь — Глинищевский переулок) не раз давал трещины и грозил рухнуть — но не из-за святотатственно снесенной церковки, а вследствие строительства впритык к правой стене нового здания Государственной прокуратуры. Московские власти уже не раз покушались на дом, расположенный в самом центре столицы, под предлогом замены деревянных перекрытий на современные — с отселением жильцов, разумеется. Как будто в Кремле перекрытия дворцов из железобетона!

Верующих среди Образцовых вообще не было — как и членов коммунистической партии в советское время и всяких разных партий в демократические времена. Бабушка по маме говорила, что перестала верить в Бога после ленинградской

Аня на даче

блокады — разве можно было такое допустить? Немного подвела моя дочь Анюта, которую якобы окрестил наш американский приятель Дональд. Побрызгал новорожденную водичкой и сообщил, что ему дано право крестить таким вот образом. Самое интересное, что «окрестил» он ее в католичество!

Мне лично больше других понравилась бахайская религия, с которой я имел удовольствие ознакомиться в израильской Хайфе, где стоит огромный бахайский храм. Религия очень симпатичная, включает в себя лучшее, что есть во всех других верованиях. Согласно учению основателя религии по имени Баб, бог един, а жить надо не по лжи, не красть, не совершать плохих поступков, переходить улицу на зеленый сигнал светофора, не стоять под стрелой, не заплывать за линию буйков и зверей, как братьев наших меньших, никогда не бить по голове и другим частям тела. Полностью присоединяюсь. Думаю, и С. В. бы одобрил.

БАБУШКА

Моя бабушка по маме родилась на Украине, а после революции попала в Ленинград. Потом переехала в Москву и жила на Арбате — не на улице Арбат, а на Арбате в широком смысле слова, на улице Мясковского. После череды обменов она оказалась в одной квартире с мамой и моим отчимом, в роскошном академическом доме на улице Зелинского. Еще в апреле и до середины мая бабушка ходила с палочкой по новой квартире и радовалась ее просторам. К концу мая она слегла и уже не вставала, вскоре уже приходилось пользоваться «уткой», потом я сумел достать взрослые подгузники — тогда это была в России редкость. Потом она начала стонать, а вскоре и кричать. Вряд ли от боли, или *только* от боли. Может быть, она чувствовала приближение смерти.

Бабушка прожила не то 91, не то 93 года — из-за потери документов во время революции год ее рождения остался неизвестным. Она пережила блокаду Ленинграда, во время которой умерло не менее миллиона

Мой дед —
Ходырев Алексей Тихонович

человек от голода — эти цифры раньше скрывали, да и теперь они не точны. Как-то показывали кинохронику о завозе продуктов по Дороге жизни в осажденный город, и открытый кузов грузовика был заполнен мерзлыми мясными тушами. Никогда, ни в один день 900-дневной блокады, обычные граждане не получили ни грамма мяса по своим карточкам. А секретарь обкома, жирный подонок Жданов, за эти годы так и не похудел, бедняга.

Она до самой старости была довольно здоровым человеком. Видимо, старуха-смерть посчитала, что с бабушки хватит блокады и остальной жуткой жизни в СССР, и о бабушке подзабыла. Но умирала она очень тяжело, страшно похудела, не могла есть и кричала. Она просто сгорела за две недели июня. Аня с Любой были у нее в мае или начале июня, мы еще фотографировались «Полароидом». А потом я увидел ее уже на плотной черной ткани в руках мужиков из похоронной перевозки. Бабушка умерла в своей квартире в 1994 году.

Если говорить с физико-химической точки зрения, то процесс ее умирания протекал по экспоненте, с очень большим ускорением. Что косвенно подтверждает естественную смерть, не от болезни, обусловленную цепной реакцией распада тканей, вероятно, по свободно-радикальному механизму. Один свободный радикал — активная частица с неспаренным электроном — при взаимодействии с веществами клетки может вызвать появление двух свободных радикалов, а те, соот-

Моя бабушка —
Андреева Евдокия Авраамовна

ветственно, четыре и так далее. То же самое происходит и при взрыве атомной бомбы — нейтрон выбивает из ядра урана два нейтрона плюс энергия, потом четыре, восемь... Да еще разветвление цепей. Отсюда и экспонента.

Бабушка очень любила меня и мою дочь Аню, она вообще из нашей части семьи была самым любящим и теплым человеком. Хотела дождаться Аниного окончания школы, а то и замужества. После переезда на Арбат, в мансарду окнами на раскаленную летнюю крышу, она работала консьержкой в соседнем доме балерин Большого театра. Я в детстве у нее часто ночевал, мы спали на узком диване «валетом», я лазил на крышу и на чердак, уже в студенческие годы с Бахытом Кенжеевым мы откопали там какие-то книжки по полиграфии и гитару с дилетантским рисунком маслом на деке. Мужская мечта — девушка в купальнике с одной оголенной грудью и крупные игральные карты.

После блестящего растреллиевского Питера бабушка очень смеялась над Москвой. И правда, большая деревня: едем с ней в наши Мневники на автобусе, а по бокам на Пресне стоят деревянные бараки и чуть ли не избы возле Ваганьковского кладбища. Только в начале 60-х все здесь застроили чудом тогдашней архитектуры — пятиэтажками серии К-7 без балконов. Недавно их сломали и возвели дома в 20 этажей, отделанные под гранит. Три эпохи улицы 1905 года я, значит, уже повидал, а бабушка только две.

Моя мама —
Образцова Галина Алексеевна

Похоронена бабушка не на Ваганьковском, а на Донском кладбище, куда просто так не пробиться. Но в тот год я зарабатывал много денег и нагло предложил какой-то начальнице, ушлой воровке Т., быть ее финансовым спонсором.

— Так мы даже и деньги не можем принять, у нас и счета нет, — заявила Т. (побаивалась и врала), но нашла выход. Купите, мол, нам на кладбище столь полезные гражданам тачки садовые. Я уезжал куда-то, как обычно, и за дело взялся брат Сергей. Объездил с десяток магазинов, потом нашел тачечный завод и там на полторы штуки долларов купил полтора КАМАЗа тачек. Торжественно разгрузил на кладбище, Т. только ахала, но не забыла востребовать товарный чек. Место на закрытом и заполненном кладбище сразу нашлось, но, когда я там бываю, в проходах и на дорожках вижу только одну, ну, максимум две наши тачки на удобном резиновом ходу. Загнала их Татьяна наверняка, да еще и по чеку деньги получила от Родины. Говорят, сейчас пошла на повышение и командует прибыльным новым кладбищем за кольцевой дорогой.

ВОЙНА

Так получилось, что в нашей знаменитой семье никто не был ни убит, ни арестован в эпоху окончательной победы социализма. Но ужасов хватало и без НКВД, хотя и без них не обошлось. «Тетя Дуся», моя бабушка по маме, пережила ленинградскую блокаду и даже пробовала человечину. Это была тоже очень тяжелая, вторая блокадная зима, которую никто не ждал, — после успешного Московского наступления Джугашвили самонадеянно объявил 1942-й годом изгнания немецко-фашистских захватчиков с территории СССР. В первую зиму от голода умерли сотни тысяч человек, но выжившие хотя бы верили в победу и надеялись на скорое избавление, а теперь вера увяла.

До войны мама танцевала в знаменитом детском ансамбле Обранта при Дворце пионеров на Невском, но осенью 41-го, к счастью, была эвакуирована в Киров. Оставшаяся часть голодного ансамбля, кстати, была потом собрана, и они ездили по фронтам с концертами, об этом даже книжка написана. А к бабушке пришла дочка соседки с подарком — такие куски рубленого мяса. Тетя Дуся сначала проглотила и только потом спросила, что это и откуда.

— А мамка Сашку зарезала и котлет сделала.

Бабушку вырвало.

Вообще-то случай необычный, материнский инстинкт выше чувства самосохранения и, следовательно, даже голода. Соседка просто сошла с ума. Есть такие эксперименты: на автомобильном тренажере за руль сажают мужчину, на соседнее сиденье — его ребенка. Тренажер очень

Алексей Сергеевич Образцов

хороший, полная иллюзия дороги. Вдруг на экране прямо перед капотом возникает дерево или другая машина. Так вот отец часто отворачивает от себя и подставляет дите под удар, а мать в таком же эксперименте спасает ребенка.

У бабушки тогда уже погиб, пропал без вести второй муж, по фотографии совсем молодой человек, хотя ей было под сорок. А первый, мой дед, настоявший на имени Роза для новорожденной мамы в честь видной революционерки тов. Люксембург, умер на пороге собственной дачи вблизи старой финской границы в 1966 году. Пришлось делать вскрытие на предмет криминальной кончины, но ничего не выяснили, и дело закрыли. Картина маслом: «Смерть двадцатипятитысячника» — в его жизни был и такой шолоховский эпизод — вспомним: в «Поднятой целине» присланные из города коммунисты наганом загоняли крестьян в колхозы.

Хоронить полетел только я, мама его не простила, а бабушка просто не поехала, да и все. Самолет опоздал, из больницы родственники (мои, получается, сводные дядья, тетки и скольконтотамродные братья) то ли забрали уже тело, то ли нет — пришлось идти в морг, где мне последовательно приоткрывали простыни над телами с кошмарными одинаковыми шрамами от горла до гениталий, зашитыми чуть ли не веревкой.

Деда я среди них не узнал и догнал осиротевших Ходыревых только на кладбище в Парголово. Каждую весну это кладбище заливает по колено водой, да я и не помню могилы, а адресов и телефонов у меня нет. В начале перестройки мэром Ленинграда стал какой-то Ходырев, на сайте «infobroker.ru» их пара десятков, теперь уж не вычислить. А имя Роза мама сменила при переезде в Москву на Галина, и так ее здесь и знают, но когда приезжают в гости мамины одноклассники, только о Розке и слышно. В столицу мама перебралась, выйдя замуж за бравого морпеха с архитектурным дипломом — перед войной отец поступил в военно-морское училище в Ленинграде.

Алексей Сергеевич, Наталья Сергеевна, Сергей Владимирович Образцовы
и Ольга Александровна Шаганова

Сергей Владимирович, Алексей Сергеевич
и Владимир Николаевич Образцовы

Прямо с первого курса их сдернули на фронт, повесили младшие лычки и перевели во фронтовые диверсанты. Это такая работа: без документов, с толовой шашкой и ружьем группу перебрасывают на немецкую сторону, там они крадутся к железной дороге, взрывают рельсы или стрелки (которые придумал и построил его дед, академик по транспорту В. Н. Образцов), а потом возвращаются через условленное «окно».

Однажды не получилось, они вышли в расположении совсем другой части, и лейтенант СМЕРШа отправил их ночевать в сарай, поскольку расстреливать шпионов принято утром. Не будете же вы говорить, что надо было позвонить к соседям, уточнить насчет этих партизан без документов — ведь документов-то действительно нет? И потом, как это — позвонить? По телефону? Чему-чему?

СМЕРШ расшифровывается «Смерть шпионам!», это военная контрразведка. Про них написана книга и снят фильм «В августе 44-го». Справедливости ради отметим, что смершевцы не всегда воевали со своими, иногда доставалось и немцам.

Есть такое известное кино «Служили два товарища», лучшая роль Высоцкого. Наверное, сценаристу и режиссеру папину историю рассказал дед Сергей Владимирович, они все жили в одном доме на улице Немировича-Данченко. Во всяком случае, сцена расстрела повторена буквально — уже перед прицеливанием мимо ехал на американском джипе майор из отцовой части. Мы, кричит, их к «Красному Знамени» представили, а вы!

А в 44-м, уже демобилизовавшись и поступив в свой второй институт на архитектурный, отец встретил смершевского лейтенанта в ресторане «Савой», рядом с теперешним «Детским миром». Ресторан был излюбленным местом гульбы американских летчиков, которые взлетали в Англии, сбрасывали бомбы на Франкфурт или Берлин, приземлялись на советской стороне фронта, отдыхали, снова загружались бомбами и летели по обратному маршруту. Это называлось челночной бомбардировкой. Некоторые из американских летчиков даже выжили, а пока дарили чулки московским девицам и хлестали водку, отражаясь в знаменитых огромных савойских зеркалах. В одно из них отец лейтенанта и бросил, а лейтенант органов, между прочим, примерно равнялся подполковнику обычных войск. Только вмешательство Кагановича, хорошего знакомого академика Владимира Николаевича, позволило замять эту тоже расстрельную историю.

Но, повторяюсь, никого из моих так и не тронули, даже странно. А впрочем, не странно, сработал закон больших чисел — кто-то же все-таки остался в живых. Хотя в поколении отца из 100 мальчиков-выпускников 1940 года войну пережили 3 человека, это надежная статистика.

ПУТЕШЕСТВИЯ С БРАТОМ СЕРГЕЕМ

Летом 96-го мы решили попутешествовать с детьми. У Ани это было последнее лето, на следующее уже нужно было ехать в Америку, а брат Сергей собрался на ралли «Белые ночи» в Карелию. Вот мы и поехали — еще был Алешка, мой племянник. Составили отличный маршрут — сначала Таллин, оттуда паром в Хельсинки, далее в Лахти к нашей общей знакомой Оле, потом уже в Карелию и обратно в Москву. Оля окончила структурную лингвистику на филфаке, работала в Институте судебной экспертизы автороведом и по характерным особенностям текста вычисляла приметы анонимщиков. Женщина — мужчина, старый — молодой, псих — не псих и т. д. Как-то она подарила мне фотокопии потрясающих доносов на руководительницу кабардино-балкарского ансамбля танцев, написанных солистками ансамбля. «Ты ...блась с ним, Нигнимовна, даже не сняв сапогов, вы сладострастно стонали, потом пили водку, потом снова ты, изогнувшись, как бл...» и так десять страниц, полный ужас.

Сергей — поразительный человек. Он заехал за мной и Аней, но подниматься не стал, потому что в машине сел аккумулятор и она снова не заведется. Я переживал, если не работает лампочка в салоне, а он спокойно отправляется за три моря на неработающем, в сущности, «Пассате»! И поехали, и на остановках тормозили машину на горке, потом толкали и ехали дальше. Только уже на хуторе нашего приятеля машина встала окончательно и не заводилась никакими силами, пришлось нанимать местного викинга и тащить «Пассат» в Таллин на тросе — а это сто километров. На станции выяснилось, что в машине полетели «мозги», то есть компьютер, который починить нельзя в принципе. Только менять. А завтра у нас паром!

Леви нам дал машину (Леви — журналист, приятель Довлатова, был даже вице-мэром Таллина), детей мы отправили в кино и гулять по Кадриоргу, а сами начали объезд магазинов и автостанций. Часа через два выяснилось, что ближайший компьютер на «Фольксваген» находится в Гамбурге, могут прислать, через пару дней дойдет! На одной из свалок познакомились с местным Юханом, тот сел к нам в машину и провез еще по нескольким малоизвестным точкам. И все равно ничего! Но естть еще отин магазин, сказал Юхан, там у меня прияттель.

Приятель даже не потребовался. В магазине на полке угрюмо лежал наш компьютер, выписанный кем-то из Швеции, но этот кто-то от покупки отказался — ну, догадайтесь когда? — сегодня утром! Как в «Кин-дза-дза», там они все искали гравицапу. Мы вот нашли единственную гравицапу в Прибалтике, за пять часов.

Паром до Хельсинки оказался двенадцатиэтажным плавучим доминой, а Финский залив — хорошо оборудованным разными вешками, буйками и флажками тихим озером. Путешествие по Финляндии запомнилось в основном комарами. В Карелии встретились с основной массой автогонщиков, посмотрели ралли «Белые ночи» и даже съездили на Валаам. Из Лахденпохьи, столицы «Белых ночей», на Валаам ничего не ходит, но из соседней Сортавалы бывает «Ракета». Однако именно сегодня не ходит, как выяснилось уже на сортавальском пирсе. Впрочем, «Ракета» стояла, мы сунулись к капитану, и он спокойно объяснил, что везет на Валаам финского консула для оформления документов умершего там финна. Капитан был абсолютной копией капитана Блада и употреблял выражения «извините, мы сейчас трапезничаем», а консул оказался очаровательной женщиной лет сорока. За 50 рублей нас доставили на острова и обратно.

На Валаам после войны свезли множество военных калек, дабы они своим видом не мешали восстановлению народного хозяйства. Некоторые живы до сих пор и катаются по монастырю на своих тележках, а один при нас ел ложкой, прикрученной к локтевому суставу. Остальная часть руки, как и вторая верхняя конечность, полностью отсутствовали. Сейчас монастырь пытается их всех выселить из келий на материк, им даже дали квартиры — но они возвращаются. Боятся машин, людей, жить могут только на острове. В войну на Валааме служил мой папа, между прочим.

Нам с Сергеем так надоела дорога Москва — Санкт-Петербург, которую мы знаем вплоть до отдельных ям и имен азербайджанцев в палат-

Люба Образцова и Нонна Прудкина

ках (я веду машину, Сергей спит. Повернулся, сонно спрашивает — где это мы? — Яжелбицы. — А, ну смотри, там сужение около предпоследней избы), что мы решили поехать домой через Лугу. Это круг, но небольшой. Едем себе, едем, и что-то тревожное и непонятное стало твориться в воздухе. Знакомые названия деревень — откуда, мы здесь раньше не были? Потом как стукнуло — Рождествено, Выра! А вот и дом Набокова на горе!

Вот здесь он садился на велосипед и вот по этой тропинке ехал к Машеньке... Но самое удивительное, что сохранился дом — деревянный, с двумя флигелями, с дощатыми оштукатуренными колоннами. А ведь тут были серьезные бои, дом обязательно должен был служить наблюдательным пунктом наших или немцев, по нему должны были стрелять из пушек. Но дом чудом выжил.

О смерти Набокова я узнал в Хаапсалу, слушая Би-би-си по хозяйскому приемнику. После сообщения пустили пленку с его голосом, он на разные лады произносил свою фамилию, подражая неправильному заграничному выговору — Набокоф, Нобокоу, Набоукоуф.

Разумеется, по случаю воскресенья музей был закрыт, и служители отсутствовали. Мы отсняли целую пленку, пообедали в пушкинском трактире «У Вырина» — это тоже здесь! — да и поехали. Здорово мы съездили, впечатлений масса, дети довольны. Жаль только, что пленка оказалась целиком засвеченной, а следующей весной дом сгорел — в день рождения автора «Других берегов». Вряд ли это случайно, как и то, что 10 апреля день рождения и у Сергея!

А вот и другая история про путешествия.

В Музее декоративно-прикладного искусства на Делегатской улице устроена выставка народного непрофессионального творчества. Про это искусство, кстати, есть роскошная книга, а в ней репродукция совершенно невероятной картины под еще более невероятным названием «Русские путешественники в Африке спасают местных жителей на орлах». На выставке видное место занимают деревянные скульптуры крестьянина Зазнобина. Меня с ним познакомил Сережа Рябчук, и раз пять я ездил к Зазнобину в деревню Горки за Переславлем. Ездили мы туда с братом Сергеем на машине, а иначе в Горки и не попасть.

Как-то раз подсадили бабулю с огроменным мешком, внутри оказалось полтора десятка серых областных батонов. В стране СССР, где я раньше жил, хлеб стоил непропорционально дешево, и личную скотину было выгодно им кормить — если сумеешь купить и не попасться, поскольку симметрично дешевизне коммунисты ввели уголовный закон против таких покупок. Причем светила тюрьма. Ну вот, едем мы, едем, и бабуля и спрашивает — а что это у вас, ребятки, за машина, не «Московича» ли? (с лишней «о»). Нет, говорим, не «Москвич», это у нас «Жигули», а что? — Да вот сын у меня собрался покупать «Московича», мне и интересно. Такая вот страна контрастов была в середине 70-х — автомобили покупали дети крестьянок, скупавших хлеб для прокорма скотины. Картошку убирали руками, а на Венере высаживали космические аппараты.

Зазнобин же был молчаливый гений, вырезал из дерева ветряки с движущимися фигурами, как на часах Староместской площади. Кстати, о Праге. Приезжаем с Сергеем в чехословацкую столицу, подходим к памятнику Гусу, а Сергей и говорит — а здесь ведь должна стоять моя гостиница! У них в Архитектурном институте такие задания были — вставить новую постройку в исторический фон.

Еще Микеланджело от сохи резал небольших Пушкиных с тростью, гармонистов с гармонью вместо торса и сцены из прошлой жизни — свадьба в церкви или рай с Адамом и Евой. Были и крупные формы, например, полутораметровый мужчина в пиджачной паре, который пропал у нас на даче. Практически все эти изделия мы скупили, свадьба и рай стоят в музее С. В. на Немировича-Данченко, Пушкин уехал в Канаду вместе с Бахытом.

В АВГУСТЕ 91-ГО

С. В. пережил всех — царя, Ленина, Сталина, Маленкова, Хрущева, Брежнева, Андропова, Черненко и даже — в политическом смысле — Горбачева. В 90-летнем возрасте ему довелось увидеть по телевизору Ельцина на танке и возвращение Горбачева из Фороса в мятом пиджаке. Даже образование и распад СССР были при нем. И хотя он не дежурил у Белого дома, и это вроде не про него, я расскажу, как проходил этот август 91-го.

19 августа 91-го началось, как и у всех, с прекращения работы телевидения и появления инсургентов во главе с Генкой Янаевым. Это не оговорка — с первым замом Горбачева я был знаком задолго до путча, еще в бытность его председателем КМО (Комитет международных организаций, если кто забыл). Тогда я оканчивал институт и остро нуждался в каком-нибудь документе для скидки на железной дороге, а студенческий билет предстояло сдать. Мой приятель Володя как раз работал в этом КМО. А комитет старался не сообщать широким массам комсомольского населения, что представляет в СССР еще и Международный союз студентов.

МСС выдавал всем желающим студентам, если они узнавали о его существовании, международные студбилеты. Которые не надо было никуда сдавать после окончания института, а только клеить новые марочки. Так я, а после и мой брат и однокурсник Бахыт Кенжеев стали международными студентами и еще лет пять после института катались по Родине за полцены. Бахыт даже ухитрялся ездить в командировки и зарабатывать на этих билетах! Единственной проблемой была расшифровка нашего МГУ для контролеров — но мы придумали «Монгольский государственный университет». В стране дураков это сработало.

Однако для получения билета требовалась подпись начальника. Володя выписал мне пропуск, и мы пошли на прием к Генке, как его все за глаза и называли. Товарищ Янаев был здорово пьян, представился мне Г-г-геной и полез за печатью. Опрокинул на пол телефон, сам еле удержался в кресле, достал печать и шлепнул ее на письмо из ЦК. С третьего раза все-таки попал почти точно в билет, заржал, икнул, квакнул, пригласил заходить еще и скрылся в ванной при кабинете. Все это происходило не где-нибудь, а в здании ЦК ВЛКСМ рядом с Политехническим музеем.

Так что, увидев Генку во главе путчистов, я не сильно испугался за будущее демократии. Впрочем, вскоре по улицам поехали бронетранспортеры, а вечером объявили комендантский час. Налет

Я с Аней 23 августа
у постамента Дзержинскому

Люба и Аня

шутовства и бездарности путча обнаружился уже днем на Ленинском проспекте. БТРы останавливались на красный свет!

Вечером позвонил брат Сергей — он работает на Кутузовском и все увидел первым — и говорит, что у Белого дома собирается народ. Я отзвонил паре знакомых, и мы с приятелем, захватив подзорную трубу, паспорта и портвейн, на такси поехали защищать завоевания перестройки.

Сейчас стало общим местом считать и путч, и оборону, и даже гибель трех молодых людей (как в сказке — русского, еврея и татарина) полным фарсом, хитроумным заговором самого Горбачева или Ельцина. Я же уверен, что все было всерьез, но просто по-нашему. На обычный российский социалистический бардак наложилось неожиданное сопротивление москвичей, а без сопротивления и бардак сработал бы. Мало ли у нас было идиотов-генсеков, был бы и Генка-президент.

Но самое главное, что чувства были настоящие, и эти три дня для любого из нас стоят, быть может, многих лет жизни.

К нашему приезду основные баррикады уже построили, в Белый дом уже не пускали, костры горели, кооператоры подвозили продукты. Веселые девицы угощали танкистов — *наших* танкистов! — баночным пивом, которое те не умели открывать и протыкали штык-ножом. Еще пятнадцать лет назад в России не было баночного пива! Но вскоре они научились и нырнули в танковую клоаку отсыпаться.

Мой Институт химической физики принял активное участие в экипировке защитников президента (так это надо написать в передовой статье). Хроника: уже утром 20-го в направлении Белого дома выдвинулся грузовой автомобиль ГАЗ-63 с сотней противогазов, собранных по лабораториям Химфизики. Господь был милостив — все-таки 19-го было Преображение Господне! — и войска инсургентов не стали применять химсредства, а народные массы — напяливать противогазы. Валявшиеся десятилетиями по углам шкафов с реактивами противогазы напитались гораздо более опасной дрянью, чем примитивный слезоточивый газ. Тут-то бы мы все потравились!

Глубокой ночью появились очевидцы бойни под Калининским проспектом. Вскоре подъехал мой начальник Саша, ныне видный американский биохимик. Потом начали организовывать цепи на мосту к «Украине», и мы стояли, как влюбленные, взявшись за руки. Вдали появились фары, и на набережной тоже. Кто-то сказал — так вот они откуда пойдут! Но они ниоткуда не пошли, вскоре рассвело, и мы на Сашиных «Жигулях» поехали в расположение дивизии Лебедя.

Дивизия стояла километрах в десяти от Москвы на Минском шоссе, являя собой сонные танки, снулые БТРы и таких же зольдатиков. Один из них спросил — а что это вы все едете к нам уговаривать на машинах? Имея в виду высокий материальный уровень противных москвичей. Собственно, автобусы сюда не ходят — резонно возразил Саша. Мы с ним провели на шоссе часа два, угощали танкистов сигаретами и пивом. Бойцы обещали стрелять поверх голов и без приказа гусеницами не давить.

Потом мы отсыпались в мертвом троллейбусе возле «Украины», заходили к моим друзьям в соседнюю с Белым домом сталинскую многоэтажку (слева, если смотреть с моста). У них там был офис кооператива «Социальная помощь». Название придумал директор, филокартист Рубинчик, для арендных и налоговых скидок, а в действительности они продавали в Германии картины, купленные по дешевке у московских художников. Дело процветало, и замдиректора даже сумел потом вывезти в Торонто тысяч сто долларов и купить дом. Кооператив разгромили солдаты уже в 93-м, при настоящем штурме Верховного Совета. А потом в кооператив пришел банкир и предложил продать помещение за установленную им сумму — или убираться, пока живы. Банк, кажется, и сейчас там.

Ночь с 21-го на 22-е была уже вовсе не опасная, я даже позвал в гости дочку Аню с мамой и показывал им баррикады, костры, палатки и пост у «вечного огня». Пост представлял собой девушку со взором горящим в плащ-палатке и небольшой костерок. В руке девушка держала плакат «Мы не уйдем, пока не накажут убийц!» — речь шла об осуждении водителя бронетранспортера, задавившего трех молодых людей. Девушку время от времени менял паренек в такой же плащ-палатке, продержались они до конца месяца. И не они одни — с десяток компаний оставались у Белого дома до середины сентября. Потом пошли дожди, стало сыро и скучно, все разбрелись по домам. Водителя и солдат из БТРа несильно наказали, а вскоре и отпустили.

Апофеозом победы стала демонстрация 22-го, начавшаяся с выступления Ельцина на балконе, признания независимости Прибалтики и водружения трехцветного флага России. Затем мы двинулись в центр, долго орали перед парадным входом в ЦК на Старой площади. Надо было, конечно, все разломать к чертям собачьим, но то ли впервые за три дня вышло солнце, то ли и так было хорошо — строение Шехтеля, бывший «Боярский двор», устояло. Зато со здания КГБ содрали памятную доску с Андроповым, а ближе к ночи и самого Дзержинского.

Стихи Андропова однажды опубликовала «Литературка», еще при коммунистах. Там автор глядит из окна (надо полагать, Лубянки) вниз на площадь, думает про какие-то веки и реки, а внизу — «идут и исчезают человеки». Очень показательное словечко! Вот даже компьютерная программа проверки орфографии не знает слова «человеки» и подчеркивает его волнистой чертой. Доску Андропова восстановил Путин в самом начале своего президентства — это его чуть ли не первое распоряжение.

Сначала на Дзержинского набросили веревку и потянули, но ничего не вышло. Затем ему на голову залез голый по пояс атлет с тросом и довольно подробно обмотал Феликсову шею. Другой конец прикрутили к автомобильной техничке и попробовали дернуть. Слава богу, в толпе нашлись образованные граждане, которые прервали это безобразие — упав, Первый чекист мог задавить еще пару десятков человек, мало ему тех сотен тысяч жертв. Мог и лопнуть трос, а это вообще жуткое дело.

Вышедший вскоре журнал «Новое время» напечатал фотографию этого альпиниста на шее чекиста с подписью «А раньше *они* сидели у нас на голове». Американский русист Л. П. откликнулась в «Новом русском слове» на эту публикацию в характерном стиле: «...этот красивый, молодой, полуобнаженный мускулистый юноша...» Мне еще лет двадцать назад писатель Сережа Рябчук указывал, что нельзя ничего публиковать, особенно стихи — все комплексы и тайные мысли вылезают на поверхность. Впрочем, профессионал скрывать якобы умеет, если хочет.

Стемнело, появился правительственный Станкевич и в мегафон объяснил — я понимаю ваши чувства, но так нельзя, внизу метро, памятник может пробить дыру и т. д. Обещал все устроить и не обманул — минут через двадцать приехали два немецких автокрана с аршинной надписью «КРУПП», подцепили Железного Феликса за шею и черны рученьки, дернули вверх — и вытащили шинель из пазов. Наш несгибаемый стоял на четырех шпильках! Дальше уже неинтересно — опустили, погрузили, отвезли. Через пару дней я пошел гулять с Анютой возле постамента, он был весь покрыт инвективами против КПСС и КГБ, там же и сфотографировались за деньги у ловкого фотографа, почуявшего конъюнктуру. Но немецкий КРУПП — вот это да, вот ведь нарочно не придумаешь!

Именно когда мы с Сергеем Гандлевским наблюдали невысокий взлет и медленное падение статуи, и родилась идея не свергать памятники, а переименовывать. Блестящий Гандлевский мгновенно переименовал Феликса в памятник кардиналу Ришелье. У меня тоже получилось, хоть и не сразу — был такой малозаметный памятник Свердлову около «Метрополя» и Китайгородской стены (революционные массы его тоже сбросили). Заправленные в сапоги брюки, пенсне, трость и папка подмышкой. Вылитый Паганель!

Страшный дракон в московской квартире

Подвешивает деревянного ангела

У себя в домашнем кабинете

С куклой Цыганкой из «Необыкновенного концерта»

С куклой из эстрадного номера «Налей бокал»

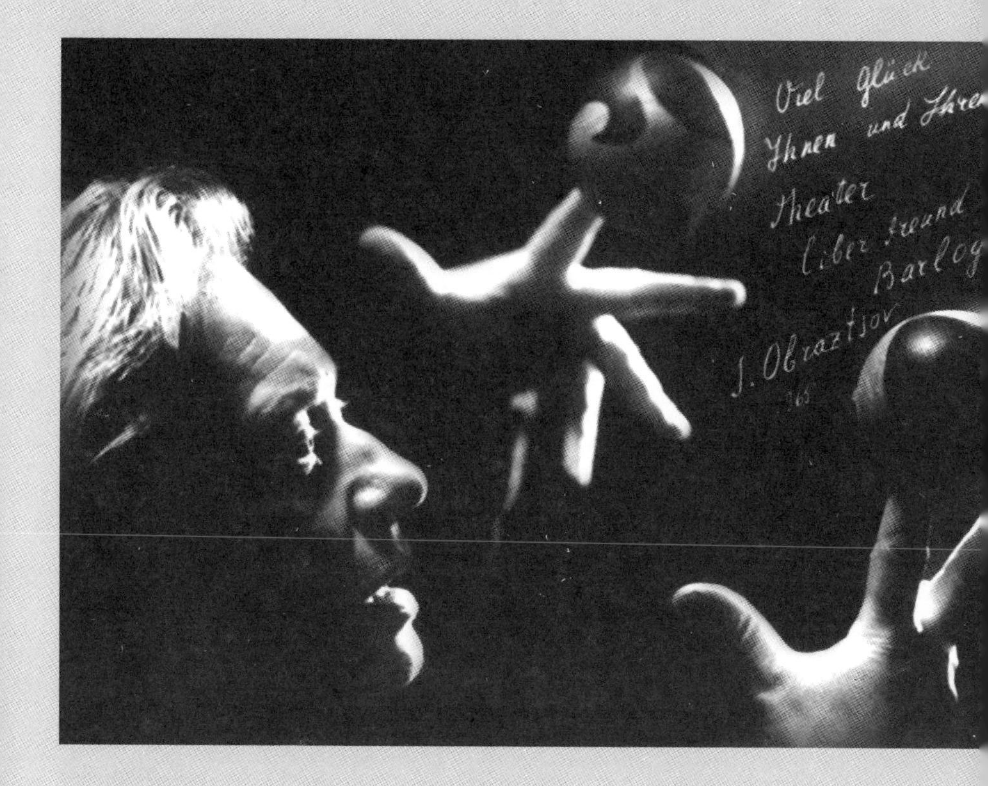

Знаменитый номер сольного концерта Сергея Образцова «Мы сидели с тобой у заснувшей реки...»

Показывает любимую шарманку из своей коллекции «Оркестр обезьян»

Работа над очередной книгой на даче

На международном кукольном фестивале

С женой Ольгой Александровной Шагановой

В рабочем кабинете

Развешивает картины в театре

Редкий отдых

С ведущим актером театра Семеном Соломоновичем Самодуром

На репетиции с актерами театра

С полярником Иваном Дмитриевичем Папаниным

С Соломоном Михоэлсом

С Жераром Филиппом

Жерар Филипп играет в куклы

Ив Монтан играет в куклы. С этим певцом Москву познакомил Сергей Образцов

Марк Бернес, Симона Синьоре, Ив Монтан и Сергей Образцов в театре

С Корнеем Чуковским

Сергей Образцов и Жан-Поль Сартр

На крыше внуковской дачи с Любовью Орловой и Григорием Александровым

С Джиной Лоллобриджидой

Встреча с Юрием Гагариным

В театре с Чингизом Айтматовым

С Леонидом Утесовым, Борисом Бруновым, Иваном Суржиковым
и Эрнстом Неизвестным

С Майей Плисецкой.
Фото Александра Лыскина

Il teatro
dei burattini
Mosca
БОЖЕСТВЕННАЯ
КОМЕДИЯ
TEATRUL CENTRAL DE STAT
DE PAPUSI
SHOW MUZICAL
DON JUAN-77
Staatliches Puppentheater
Moskau
ИГОГО

СОДЕРЖАНИЕ

Борис Голдовский. Предисловие. Семья Образцовых • **5**

Екатерина Образцова

МОЯ СЕМЬЯ

Бахметьевская • **35**
Дедушка Образцов • **47**
Моя мама — заслуженная артистка • **58**
Вот такие пироги • **67**
Кому он нужен, этот Васька • **78**
Ирод-царь • **87**
Дунька • **93**
Гастроли • **105**
Заграница • **111**
Лоскутное одеяло • **118**
Как хороши, как свежи были розы... • **126**

Петр Образцов

СЕМЬЯ И ДРУЗЬЯ

Квартира и кладбище • **159**
Слухи и россказни • **163**
Куртки и джинсы • **167**
Православие • **170**
Бабушка • **173**
Война • **177**
Путешествия с братом Сергеем • **182**
В августе 91-го • **186**

Книга изготовлена в соответствии
с Федеральным законом от 29 декабря 2010 г. № 436-ФЗ, ст. 1, п. 2, пп. 3.
Возрастных ограничений нет

Образцова Е., Образцов П.
О-23 Необыкновенный Образцов. О хозяине кукольного дома и его семье / Екатерина Образцова, Петр Образцов. — М.: Ломоносовъ, 2014. — 224 с.: ил.

ISBN 978-5-91678-209-7

Название этой книги весьма точно характеризует ее героя, ибо Сергей Образцов необыкновенный, уникальный феномен русской культуры, единственный в своем роде. Он родился в семье будущего академика и сформировался как личность еще «при царе», прожил большую часть жизни при советской власти и сумел ее пережить, был дружен с известнейшими людьми страны и мира, общался с высшими руководителями государства. На протяжении всего XX столетия он создавал свои спектакли для детей и взрослых, доказав, что кукольный театр — это серьезное искусство.

Авторы книги — внуки Сергея Образцова — режиссер Екатерина Образцова и писатель Петр Образцов рассказывают о своем знаменитом деде и своей семье — удивительной питательной среде, из которой вышло немало замечательных людей. Многочисленные фотографии, сделанные на протяжении девяноста лет, предоставлены личным фотографом Сергея Образцова, а также взяты из архива семьи.

УДК 929(029)
ББК 85.337

Екатерина Образцова, Петр Образцов

НЕОБЫКНОВЕННЫЙ ОБРАЗЦОВ

О хозяине кукольного дома и его семье

Редактор И. Сарычев
Фотограф В. Шульц
Оформление, макет, верстка А. Петровой
Корректор М. Малоян

Подписано в печать 23.10.2013.
Формат 60×84/16. Тираж 1500 экз. Заказ № 7261.

ООО «Издательство «Ломоносовъ»
119034 Москва, Малый Левшинский пер., д. 3
Тел. (495) 637-43-19, 637-43-15
info@lomonosov-books.ru
www.lomonosov-books.ru

Отпечатано в ОАО «Можайский полиграфический комбинат»
143200 г. Можайск, ул. Мира, д. 93
www.oaompk.ru, www.оаомпк.рф
тел.: (495) 745-84-28, (49638) 20-685

Встреча с Юрием Гагариным

С Джиной Лоллобриджидой